Astrid Lindgren
Die Brüder Löwenherz

Astrid Lindgren, die »bekannteste Kinderbuchautorin der Welt« (Die Zeit), wurde 1907 auf Näs im schwedischen Småland geboren und starb 2002 im Alter von 94 Jahren in Stockholm. Viele ihrer Bücher, wie ›Pippi Langstrumpf‹, die ›Karlsson‹-Bände, ›Die Kinder aus Bullerbü‹, ›Ferien auf Saltkrokan‹ oder ›Die Brüder Löwenherz‹, sind längst zu Klassikern der Kinderliteratur geworden. Für ihr Werk erhielt sie neben zahlreichen nationalen und internationalen Auszeichnungen auch den Friedenspreis des Deutschen Buchhandels, den Internationalen Kinderbuchpreis, die Hans-Christian-Andersen-Medaille und mehrmals den Deutschen Jugendliteraturpreis. Für ihr Lebenswerk wurde Astrid Lindgren im November 2002 postum mit dem internationalen Buchpreis CORINE ausgezeichnet.

Weitere Titel von Astrid Lindgren bei <u>dtv</u> junior: siehe Seite 4

Astrid Lindgren

Die Brüder Löwenherz

Aus dem Schwedischen
von Anna-Liese Kornitzky

Mit Zeichnungen von Ilon Wikland

Deutscher Taschenbuch Verlag

Von Astrid Lindgren sind außerdem bei dtv junior und dtv lieferbar:
Nils Karlsson-Däumling, dtv junior 7553
Madita, dtv junior 7021
Madita und Pims, dtv junior 70735
Rasmus, Pontus und der Schwertschlucker, dtv junior 7005
Kerstin und ich, dtv junior 7358
Kati in Amerika, Italien, Paris, dtv junior 70729
Das entschwundene Land, dtv 20575

Ungekürzte Ausgabe
In neuer Rechtschreibung
2. Auflage Januar 2005
2004 Deutscher Taschenbuch Verlag GmbH & Co. KG,
München
www.dtvjunior.de
© Astrid Lindgren, Stockholm 1973/Saltkråkan AB
Titel der schwedischen Originalausgabe: ›Bröderna Lejonhjärta‹,
1973 erschienen bei Rabén & Sjögren Bokförlag, Stockholm
© für die deutschsprachige Ausgabe: 1974 Verlag Friedrich Oettinger, Hamburg
Umschlagkonzept: Balk & Brumshagen
Umschlagbild: Ilon Wikland
Satz: Fotosatz Reinhard Amann, Aichstetten
Gesetzt aus der Bembo 11,25/13,5˙
Druck und Bindung: Druckerei C. H. Beck, Nördlingen
Printed in Germany · ISBN 3-423-70880-8

1

Jetzt will ich von meinem Bruder erzählen. Von ihm, Jonathan Löwenherz, will ich erzählen. Es ist fast wie ein Märchen, finde ich, und ein klein wenig auch wie eine Gespenstergeschichte und doch ist alles wahr. Aber das weiß keiner außer mir und Jonathan.

Anfangs hieß Jonathan nicht Löwenherz. Er hieß mit Nachnamen Löwe, genau wie Mama und ich.

Jonathan Löwe hieß er. Ich heiße Karl Löwe und Mama Sigrid Löwe. Papa hieß Axel Löwe, doch als ich zwei Jahre alt war, ging er weg von uns und fuhr zur See und seitdem haben wir nichts mehr von ihm gehört.

Aber ich wollte ja erzählen, wie es kam, dass mein Bruder Jonathan zu Jonathan Löwenherz wurde. Und all das Seltsame, was dann geschah.

Jonathan wusste, dass ich bald sterben würde. Ich glaube, alle wussten es, nur ich nicht. Sogar in der Schule wussten sie es, denn ich lag ja nur zu Hause, weil ich hustete und immer krank war. Das letzte halbe Jahr hatte ich überhaupt nicht mehr zur Schule gehen können. Alle Frauen, für die Mama Kleider nähte, wussten es auch. Einmal redete eine mit ihr darüber und ich hörte es zufällig, ohne dass ich es wollte. Sie dachten, ich schlafe. Ich lag aber nur mit geschlossenen Augen da. Und das tat ich auch weiterhin, denn ich wollte mir nicht anmerken lassen, dass ich dieses Schreckliche gehört hatte – dass ich bald sterben würde.

Natürlich wurde ich traurig und bekam furchtbare Angst und das wollte ich Mama nicht zeigen. Aber als Jonathan nach Hause kam, erzählte ich es ihm.

»Weißt du, dass ich bald sterben muss?«, fragte ich und weinte. Jonathan dachte ein Weilchen nach. Er antwortete mir wohl nicht gern, doch schließlich sagte er: »Ja, das weiß ich.«

Da weinte ich noch mehr.

»Wie kann es nur so was Schreckliches geben?«, fragte ich. »Wie kann es so was Schreckliches geben, dass manche sterben müssen, wenn sie noch nicht mal zehn Jahre alt sind?«

»Weißt du, Krümel, ich glaube nicht, dass es so schrecklich ist«, sagte Jonathan. »Ich glaube, es wird herrlich für dich.«

»Herrlich?«, sagte ich. »Tot in der Erde liegen, das soll herrlich sein?!«

»Aber geh«, sagte Jonathan. »Was da liegt, ist doch nur so etwas wie eine Schale von dir. Du selber fliegst ganz woandershin.«

»Wohin denn?«, fragte ich, denn ich konnte ihm nicht recht glauben.

»Nach Nangijala«, antwortete er.

Nach Nangijala – das sagte er so einfach, als wüsste das jeder Mensch. Aber ich hatte noch nie etwas davon gehört.

»Nangijala«, sagte ich, »wo liegt denn das?«

Da sagte Jonathan, das wisse er auch nicht genau. Es liege irgendwo hinter den Sternen. Und er fing an von Nangijala zu erzählen, so dass man fast Lust bekam, auf der Stelle hinzufliegen.

»Dort ist noch die Zeit der Lagerfeuer und der Sagen«, sagte er, »und das wird dir gefallen.«

Von dort, aus Nangijala, stammten alle Märchen und Sagen, sagte Jonathan, denn gerade dort passiere ja all so was. Wenn man dort hinkomme, erlebe man von früh bis spät und sogar nachts Abenteuer.

»Das ist was, Krümel!«, sagte er. »Das ist was anderes als im Bett liegen und husten und krank sein und nie spielen können.«

Jonathan nannte mich Krümel. Das hatte er schon getan, als ich noch klein war, und als ich ihn einmal fragte, warum er mich so nannte, sagte er, weil er Kuchenkrümel sehr gern möge, besonders solche Krümel wie mich. Ja, Jonathan hatte mich gern und das war merkwürdig. Denn ich war schon immer ein recht hässlicher und ziemlich dummer, ängstlicher Junge mit krummen Beinen gewesen. Ich fragte Jonathan, wie er einen so hässlichen und dummen Jungen mit krummen Beinen bloß gern haben könne, und da antwortete er:

»Wenn du nicht so ein liebes und hässliches kleines Blassgesicht mit krummen Beinen wärst, dann wärst du ja nicht mein Krümel, den ich gern habe.«

Aber an dem Abend, als ich mich so vor dem Sterben fürchtete, sagte er mir, dass ich in Nangijala sofort gesund und stark und sogar hübsch sein würde.

»Genauso hübsch wie du?«, fragte ich.

»Hübscher«, antwortete Jonathan.

Doch das konnte er mir nicht einreden. Denn einen so hübschen Jungen wie Jonathan hat es noch nie gegeben und kann es nirgends geben.

Einmal hatte eine von Mamas Kundinnen gesagt: »Liebe Frau Löwe, Sie haben einen Sohn, der wie ein Märchenprinz aussieht!«

Und damit hatte sie nicht etwa mich gemeint, das steht fest!

Jonathan sah wirklich wie ein Märchenprinz aus. Sein Haar glänzte wie Gold und er hatte schöne dunkelblaue Augen, die richtig leuchteten, und schöne weiße Zähne und ganz gerade Beine.

Und nicht nur das. Er war auch gut und stark und konnte alles und verstand alles und war der Beste in seiner Klasse und alle Kinder unten auf dem Hof hingen, wo er ging und stand, wie die Kletten an ihm und er erfand Spiele für sie und zog mit ihnen auf Abenteuer aus. Ich konnte nie dabei sein, denn ich lag ja nur tagaus, tagein in der Küche auf meiner alten Schlafbank. Aber wenn Jonathan nach Hause kam, erzählte er mir alles, was er erlebt hatte. Stundenlang konnte er bei mir auf der Bettkante sitzen und erzählen. Jonathan schlief auch in der Küche, aber auf einem Klappbett, das er abends aus der Abstellkammer holte. Und wenn er zu Bett gegangen war, erzählte er mir Märchen und Geschichten, bis Mama aus dem Zimmer rief: »Jetzt ist aber Schluss! Karl muss schlafen.«

Aber wenn man husten muss, kann man nicht gut schlafen. Manchmal stand Jonathan mitten in der Nacht auf und machte mir heißes Honigwasser, um meinen Husten zu lindern. Ja, Jonathan war lieb!

An jenem Abend, als ich mich so vor dem Sterben fürchtete, saß er viele Stunden bei mir und wir sprachen von Nangijala, aber ziemlich leise, damit Mama uns nicht hörte. Sie blieb wie gewöhnlich lange auf und nähte und die Nähmaschine steht in der Stube, dort, wo Mama schläft – wir haben ja nur diese eine Stube und die Küche. Die Tür war angelehnt und wir konnten Mama singen hören. Sie sang immer dasselbe Lied vom Seemann weit draußen auf dem Meer, wahrscheinlich dachte sie dabei an Papa. Ich erinnere mich nicht mehr genau daran und weiß nur noch ein paar Zeilen daraus, und die gehen so:

Liebste, fall ich zum Raube dem wilden Meer,
fliegt eine weiße Taube zu dir hierher.
Lass sie, o Liebste, zum Fenster hinein!
Mit ihr wird meine Seele dann bei dir sein.

Es ist ein schönes, trauriges Lied, finde ich. Doch als Jonathan es an jenem Abend hörte, lachte er und sagte:

»Du, Krümel, vielleicht kommst auch du eines Abends zu mir geflogen. Aus Nangijala. Und sitzt als schneeweiße Taube auf dem Fensterblech, tu das doch bitte!«

Gerade da fing ich an zu husten und er richtete mich auf und hielt mich umfasst wie immer, wenn es am schlimmsten war, und dann sang er:

Kommt sie, mein Krümel, zum Fenster hinein!
Dann wird deine Seele bei mir sein.

Erst da musste ich daran denken, wie es in Nangijala ohne Jonathan sein würde. Wie einsam ich ohne ihn wäre. Was nützten mir denn die Sagen und Abenteuer, wenn Jonathan nicht dabei war. Ich würde nur Angst bekommen und mir nicht zu helfen wissen.

»Ich will nicht dorthin«, sagte ich und weinte. »Ich will da sein, wo du bist, Jonathan!«

»Aber ich komme ja auch nach Nangijala«, sagte Jonathan. »So mit der Zeit.«

»So mit der Zeit, ja«, sagte ich. »Aber du wirst vielleicht neunzig Jahre alt und bis dahin muss ich allein dort sein.«

Da erzählte Jonathan, dass die Zeit in Nangijala nicht ebenso sei wie hier auf Erden. Selbst wenn er neunzig Jahre alt würde, käme mir das vor, als dauerte es nur etwa zwei Tage, bis er da wäre. Denn so sei es, wenn es keine richtige Zeit gebe.

»Zwei Tage wirst du wohl allein aushalten können«, sagte er. »Du kannst ja inzwischen auf Bäume klettern und dir ein Lagerfeuer im Wald machen und an einem kleinen Bach sitzen und angeln. Du kannst all das tun, wonach du dich immer so sehr gesehnt hast. Und gerade wenn du einen Barsch an der Angel hast, komme ich angeflogen und dann sagst du: ›Ja, meine Güte, Jonathan, bist du schon da?‹«

Ich versuchte mit dem Weinen aufzuhören, denn ich dachte, zwei Tage würde ich es wohl aushalten können.

»Aber stell dir vor, wie gut es wäre, wenn du zuerst da wärst«, sagte ich. »Wenn du schon dort sitzen und angeln würdest.«

Das fand Jonathan auch. Er sah mich lange an, so liebevoll, wie er es immer tat, und ich merkte, dass er traurig war, denn er sagte leise und fast bekümmert:

»Stattdessen muss ich ohne meinen Krümel hier auf Erden leben. Vielleicht neunzig Jahre lang!«

Ja, das glaubten wir!

2

Jetzt komme ich zu dem Schrecklichen. Zu dem, woran ich nicht zu denken wage. Und woran ich doch ständig denken muss.

Mein Bruder Jonathan – er könnte ja noch immer bei mir sein, mir abends etwas erzählen, in die Schule gehen und mit den Kindern auf dem Hof spielen, mir Honigwasser wärmen und all das, doch so ist es nicht ... so ist es nicht!

Jonathan ist jetzt in Nangijala.

Es ist schwer, ich kann, nein, ich kann es nicht erzählen. Aber so stand es hinterher in der Zeitung:

Gestern Abend wütete hier in der Stadt im Viertel Fackelrose eine entsetzliche Feuersbrunst, die eines der dortigen Holzhäuser ein-äscherte und ein Menschenleben forderte. In einer daselbst befind-lichen Wohnung im zweiten Stock lag der zehnjährige Knabe Karl Löwe allein und krank zu Bett, als das Feuer ausbrach. Kurz da-nach kehrte sein Bruder, der dreizehnjährige Jonathan Löwe, heim und stürzte sich, ehe ihn jemand daran zu hindern vermochte, in das bereits lichterloh brennende Haus, um den Bruder zu retten. In Se-kundenschnelle war jedoch auch das ganze Treppenhaus ein einziges Flammenmeer und den beiden durch das Feuer eingeschlossenen Knaben blieb als einzige Rettung der Sprung aus dem Fenster. Die vor dem Haus versammelte entsetzte Menschenmenge musste macht-

los mit ansehen, wie der Dreizehnjährige seinen Bruder auf den Rücken nahm und sich mit ihm, während das Feuer hinter ihm loderte, ohne Zaudern aus dem Fenster stürzte. Bei dem Aufprall auf dem Erdboden verletzte sich der Knabe Jonathan so schwer, dass er fast unmittelbar darauf starb. Der jüngere Bruder Karl hingegen, den er bei dem Sturz mit seinem Körper geschützt hatte, kam unverletzt davon. Die Mutter der beiden Brüder, die zur Zeit des Geschehens eine Kundin besuchte – sie ist Schneiderin –, erlitt bei der Heimkehr einen schweren Schock. Die Ursache für das Entstehen der Feuersbrunst ist bisher noch ungeklärt.

Auf einer anderen Seite der Zeitung stand mehr über Jonathan. Seine Lehrerin hatte es geschrieben. Dort hieß es:

Lieber Jonathan Löwe, hättest du nicht eigentlich Jonathan Löwenherz heißen müssen? Weißt du noch, wie wir in der Schule im Geschichtsunterricht von einem mutigen englischen König namens Richard Löwenherz lasen? Weißt du noch, wie du damals sagtest: »So mutig, dass später darüber in den Geschichtsbüchern berichtet wird, so mutig würde ich nie sein können.« Lieber Jonathan, selbst wenn in den Geschichtsbüchern nichts über dich geschrieben steht, so warst du im entscheidenden Augenblick doch ganz gewiss ebenso mutig, ganz gewiss warst auch du ein Held. Deine alte Lehrerin wird dich nie vergessen. Auch deine Kameraden werden deiner lange gedenken. In der Klasse wird es uns ohne unseren fröhlichen, hübschen Jonathan leer vorkommen. Aber wen die Götter lieben, den lassen sie jung sterben. Jonathan Löwenherz, ruhe in Frieden!

Greta Andersson

Jonathans Lehrerin ist ziemlich albern, aber sie hat Jonathan sehr gern gehabt, genau wie alle anderen. Und dass sie sich das mit dem Namen Löwenherz ausgedacht hat, war gut, wirklich gut!

In der ganzen Stadt gibt es bestimmt keinen einzigen Menschen, der nicht um Jonathan trauert und der es nicht besser gefunden hätte, wenn ich statt seiner gestorben wäre.

Das ist mir durch all die Frauen klar geworden, die hier dauernd mit ihren Stoffen und Spitzen und all dem Krimskrams angelaufen kommen. Wenn sie durch die Küche gehen, sehen sie mich an und seufzen und sagen dann zu Mama: »Arme Frau Löwe! Ausgerechnet Jonathan, der so etwas Besonderes war!«

Jetzt wohnen wir im Haus nebenan in genau so einer Wohnung, nur dass sie im Erdgeschoss liegt. Von der Fürsorge haben wir ein paar gebrauchte Möbel bekommen und auch die Frauen haben uns allerlei geschenkt. Ich liege auf fast der gleichen Bank wie früher. Alles ist fast genauso wie früher. Und alles, aber auch alles ist anders als früher! Denn hier gibt es keinen Jonathan mehr. Niemand sitzt abends bei mir und erzählt mir etwas, ich bin so allein, dass es in der Brust wehtut. Und mir bleibt nichts anderes übrig als die Worte leise vor mich hin zu sagen, die Jonathan kurz vor seinem Tode gesprochen hat, als wir beide nach dem Sprung auf der Erde lagen. Zuerst lag er mit dem Gesicht nach unten da, aber dann drehte ihn jemand auf den Rücken, so dass ich sein Gesicht sah. Aus dem Mundwinkel floss ein wenig Blut und er konnte kaum sprechen. Doch es schien, als versuchte er trotzdem zu lächeln, und er brachte ein paar Worte hervor. »Weine nicht, Krümel, wir sehen uns in Nangijala wieder!«

Nur diese Worte hat er gesagt, sonst nichts. Dann schloss er die Augen und es kamen Leute und trugen ihn fort und ich habe ihn nie wieder gesehen.

In der ersten Zeit danach wollte ich mich nicht daran erinnern. Doch etwas so Schreckliches und Schmerzliches lässt sich nicht vergessen. Ich habe hier auf meiner Bank gelegen und an Jonathan gedacht, bis ich glaubte, der Kopf werde mir zerspringen; mehr als ich mich nach ihm gesehnt habe, kann man sich nicht sehnen. Angst habe ich auch gehabt. Mir kam der Gedanke: Wenn es nun nicht wahr ist, dies mit Nangijala! Wenn es nur einer von den vielen lustigen Einfällen war, die Jonathan so oft gehabt hat. Ich habe viel geweint, ja, das habe ich. Aber dann ist Jonathan gekommen und hat mich getröstet. Er kam und alles war beinahe wieder gut. Selbst dort in Nangijala wusste er wohl, wie es mir ohne ihn ging, und meinte, er müsse mich trösten. Deshalb ist er zu mir gekommen und jetzt bin ich auch nicht mehr so traurig, jetzt warte ich nur noch.

Er kam eines Abends vor nicht allzu langer Zeit. Ich war allein zu Hause und lag da und weinte und war so ängstlich und so unglücklich und krank und elend, wie es sich gar nicht sagen lässt. Das Küchenfenster stand offen, denn jetzt im Frühling sind die Abende warm und schön. Ich hörte draußen die Tauben gurren. Auf dem Hinterhof gibt es haufenweise Tauben. Und jetzt im Frühling ist es ein ewiges Gegurre.

Da geschah es:

Wie ich dort liege und in das Kissen weine, höre ich dicht neben mir ein Gurren, und als ich aufblicke, sitzt eine Taube auf dem Fensterblech und sieht mich mit freundlichen Au-

gen an. Eine schneeweiße Taube, wohlgemerkt, nicht so
eine graue wie die Tauben auf dem Hof! Eine schneeweiße
Taube – niemand kann verstehen, wie mir zumute war, als
ich sie sah. Denn es war ja genauso wie im Lied: »... fliegt
eine weiße Taube zu dir hierher...« Und mir war, als hörte
ich wieder Jonathan singen: »Dann wird meine Seele bei dir
sein.« Doch jetzt war er es, der zu mir gekommen war.

Ich wollte etwas sagen, konnte aber nicht. Ich lag nur still
da und hörte die Taube gurren und durch dieses Gurren oder
in diesem Gurren, oder wie ich es sagen soll, hörte ich Jonathans Stimme. Auch wenn sie anders klang als sonst. Es war
wie ein Gewisper in der ganzen Küche. Das hört sich fast wie
eine Spukgeschichte an und man hätte sich fürchten können,
aber das tat ich nicht. Ich freute mich so sehr, dass ich am
liebsten an die Decke gesprungen wäre. Denn was ich da
hörte, war wunderbar.

Aber gewiss doch, natürlich war es wahr, das mit Nangijala! Ich solle mich beeilen auch dorthin zu kommen, sagte
Jonathan, denn dort habe man es gut, rundherum gut. Man
stelle sich vor, als er dorthin gekommen war, hatte er ein
Haus vorgefunden, ein eigenes Haus ganz für sich allein. Das
hatte dort in Nangijala auf ihn gewartet. Es sei ein altes Ge-
höft, sagte er, Reiterhof heiße es und liege im Kirschtal,
klinge das nicht herrlich? Und das Erste, was er erblickt
hatte, als er zum Reiterhof gekommen war, war ein kleines
grünes Schild an der Gartenpforte und darauf stand: Die
Brüder Löwenherz.

»Und das bedeutet, dass wir beide dort wohnen werden«,
sagte Jonathan.

Man stelle sich vor, dass auch ich Löwenherz heißen soll,

wenn ich nach Nangijala komme! Darüber freue ich mich, denn ich möchte ja am liebsten genauso heißen wie Jonathan, auch wenn ich nicht so mutig bin wie er.

»Komm, so schnell du kannst«, sagte er. »Und wenn du mich nicht zu Hause auf dem Reiterhof findest, dann sitze ich unten am Fluss und angle.«

Danach wurde es still und die Taube flog davon. Schnurgerade über die Hausdächer. Zurück nach Nangijala.

Und ich liege hier auf meiner Bank und warte nur darauf, hinterherfliegen zu können. Hoffentlich ist es nicht zu schwierig, dort hinzufinden. Aber Jonathan hat gesagt, dass es gar nicht schwer ist. Sicherheitshalber habe ich die Adresse aufgeschrieben:

Die Brüder Löwenherz
Reiterhof
Kirschtal
Nangijala

Schon zwei Monate lang wohnt Jonathan dort allein. Zwei lange, schreckliche Monate habe ich ohne ihn sein müssen. Aber jetzt komme ich auch bald nach Nangijala. Bald, bald werde ich dorthin fliegen. Vielleicht heute Nacht. Mir ist, als könnte es heute Nacht sein. Ich will einen Zettel schreiben und ihn auf den Küchentisch legen, damit Mama ihn morgen früh findet.

Und das soll auf dem Zettel stehen:

»Weine nicht, Mama! Wir sehen uns wieder in Nangijala!«

3

Dann geschah es. Etwas Seltsameres habe ich nie erlebt. Ganz plötzlich stand ich einfach vor der Gartenpforte und las auf dem grünen Schild: Die Brüder Löwenherz.

Wie kam ich dorthin? Wann flog ich? Wie konnte ich den Weg finden ohne jemanden danach zu fragen? Das weiß ich nicht. Ich weiß nur, dass ich plötzlich dort stand und das Namensschild an der Gartenpforte sah.

Ich rief nach Jonathan. Mehrmals rief ich ihn, doch er antwortete nicht. Und da fiel es mir ein. Er saß natürlich unten am Fluss und angelte.

Ich lief los. Den schmalen Pfad hinunter zum Fluss. Ich lief und lief – und dort unten auf der Brücke saß Jonathan. Mein Bruder, er saß dort, sein Haar leuchtete im Sonnenschein, und auch wenn ich es hier zu erzählen versuche, so lässt sich doch nicht beschreiben, welch ein Gefühl es war, ihn wiederzusehen.

Er hörte mich nicht kommen. Ich versuchte »Jonathan« zu rufen, weinte aber wohl, denn ich brachte nur einen leisen, komischen Laut hervor. Jonathan hörte mich trotzdem. Er blickte hoch. Zunächst schien es, als erkenne er mich nicht wieder. Doch dann schrie er auf, warf die Angel ins Gras, stürzte auf mich zu und packte mich, als wolle er sich vergewissern, dass ich wirklich gekommen war. Und da weinte ich nur noch ein bisschen. Warum sollte ich denn noch weinen? Ich hatte mich ja nur so sehr nach ihm gesehnt.

Doch Jonathan lachte und wir standen dort auf der Ufer-böschung und hielten uns umschlungen und freuten uns da-rüber, dass wir wieder zusammen waren, mehr, als ich sagen kann.

Und dann sagte Jonathan: »Na also, Krümel Löwenherz, jetzt bist du endlich da!« Krümel Löwenherz, das klang wirk-

lich komisch, wir kicherten beide darüber. Und dann lachten wir und lachten immer mehr, als wäre es das Lustigste, das wir je gehört hatten. Dabei war es wohl nur so, dass wir etwas zum Lachen brauchten, weil es vor Freude in uns blubberte. Und während wir noch lachten, fingen wir an miteinander zu rangeln, hörten dabei aber nicht auf zu lachen. Nein, wir

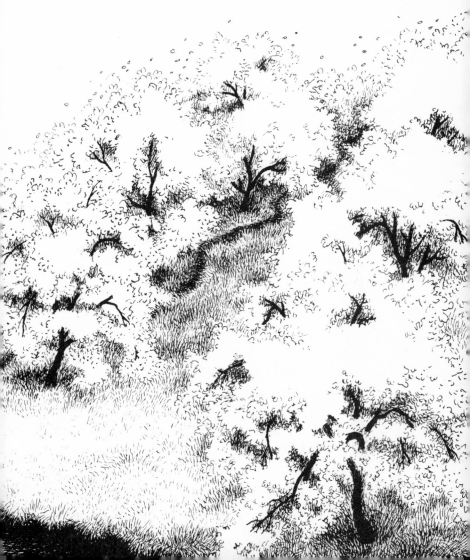

lachten so, dass wir ins Gras fielen und uns kugelten und immer noch mehr lachten, und schließlich rollten wir vor Lachen in den Fluss und lachten im Wasser weiter, bis ich dachte, wir ertrinken.

Stattdessen aber fingen wir an zu schwimmen. Ich habe nie schwimmen können, obwohl ich mir immer gewünscht hatte es zu lernen. Jetzt konnte ich es plötzlich.

Ich schwamm richtig gut.

»Jonathan, ich kann schwimmen!«, schrie ich.

»Klar kannst du schwimmen!«, rief Jonathan. Und da fiel mir etwas auf.

»Jonathan, hast du was gemerkt?«, fragte ich. »Ich huste nicht mehr.«

»Klar hustest du nicht mehr«, sagte Jonathan. »Du bist ja jetzt in Nangijala.«

Ich schwamm eine ganze Weile umher und dann kletterte ich auf die Brücke und stand dort pudelnass, das Wasser floss nur so aus meinem Zeug. Und weil die Hose an meinen Beinen klebte, konnte ich deutlich sehen, was geschehen war. Glaubt es oder nicht: Meine Beine waren jetzt kerzengerade, genau wie Jonathans.

Und da kam mir der Gedanke, ob ich wohl auch ebenso schön geworden war? Ich fragte Jonathan danach. Fragte ihn, ob ich vielleicht auch hübscher geworden sei.

»Schau doch in den Spiegel«, sagte er und meinte den Fluss damit. Denn das Wasser war so klar und still, dass man sich darin spiegeln konnte. Ich legte mich bäuchlings auf die Brücke und guckte über den Rand und sah mich im Wasser, konnte aber keine besondere Schönheit an mir entdecken. Jonathan legte sich neben mich und wir lagen lange da und guckten uns die Brüder Löwenherz dort unten im Wasser an: Jonathan mit seinem Goldhaar und seinen Augen und seinem hübschen Gesicht und ich mit meinem strähnigen Haar und meiner Knubbelnase.

»Nein, dass ich schöner geworden bin, kann ich nicht finden«, sagte ich.

Doch Jonathan meinte, es sei ein großer Unterschied gegen früher.

»Und außerdem siehst du ganz gesund aus«, sagte er.

Und erst jetzt fühlte ich es. Erst jetzt auf der Brücke spürte ich, dass ich durch und durch gesund und froh war, und wozu brauchte ich dann auch noch schön zu sein? Mein ganzer Körper war ohnehin so glücklich, dass es darin irgendwie lachte. Wir lagen dort eine Weile und ließen uns von der Sonne wärmen und sahen den Fischen zu, die unter der Brücke hin und her schwammen. Aber dann wollte Jonathan heimgehen und das wollte ich auch, denn ich war neugierig auf diesen Reiterhof, wo ich jetzt wohnen sollte.

Jonathan ging vor mir her den Pfad zum Haus hinauf und ich trabte auf meinen feinen geraden Beinen hinterher. Die ganze Zeit über starrte ich nur auf meine Beine und freute mich, wie gut es sich damit gehen ließ. Erst als wir den Hang schon ein Stück hinaufgekommen waren, drehte ich plötzlich den Kopf.

Und da – da erblickte ich endlich das Kirschtal. Es war weiß von Kirschblüten weithin! Weiß und grün, von Kirschblüten und grünem, grünem Gras. Und durch all das Grün und Weiß wand sich der Fluss wie ein Silberband. Weshalb hatte ich das alles nicht früher bemerkt, hatte ich nur Jonathan gesehen? Doch jetzt blieb ich auf dem Pfad stehen und sah, wie schön es war, und ich sagte zu Jonathan: »Dies Tal ist wohl das schönste auf Erden, nicht?«

»Ja, aber nicht auf Erden«, antwortete Jonathan und da fiel mir wieder ein, dass ich in Nangijala war.

Rund um das Kirschtal lagen hohe Berge, auch das war schön. Und die Hänge hinab strömten Bäche und Wasserfälle ins Tal, dass es nur so rauschte, denn es war ja Frühling.

Auch die Luft hatte etwas Besonderes. Am liebsten hätte man sie getrunken, so rein und frisch war sie.

»Von dieser Luft könnte man in unserer Stadt schon ein paar Liter brauchen«, sagte ich, denn mir fiel ein, wie sehr ich mich immer nach Luft gesehnt hatte, als ich auf meiner Küchenbank gelegen und das Gefühl gehabt hatte, es gebe gar keine Luft mehr.

Hier aber gab es sie und ich sog davon so viel ein, wie ich nur konnte. Ja, ich konnte gar nicht genug davon bekommen.

Jonathan lachte mich aus und sagte: »Ein bisschen kannst du mir auch übrig lassen.«

Der Pfad, auf dem wir gingen, war weiß von herabgeschneiten Kirschblüten, von oben rieselten zarte, weiße Blütenblätter auf uns herab und sie blieben im Haar und überall hängen, aber ich mag schmale grüne Pfade voller weißer Kirschblütenblätter, ja, ich mag sie wirklich.

Und am Ende des Pfades lag der Reiterhof mit dem grünen Schild an der Gartenpforte.

»Die Brüder Löwenherz«, las ich Jonathan vor. »Stell dir vor, dass wir hier wohnen!«

»Ja, stell dir vor, Krümel«, sagte Jonathan. »Ist das nicht herrlich?«

Und das war es! Jonathan hatte Recht. Ich jedenfalls kann mir keinen Ort vorstellen, wo ich lieber wohnen möchte. Ein weißes altes Haus war es, keineswegs groß, mit grünen Eckpfosten und einer grünen Tür und grünem Rasen ringsum, wo Schlüsselblumen und Gänseblümchen wuchsen. Fliederbüsche und Kirschbäume gab es dort auch, die üppig blühten, und alles war von einer Steinmauer umrahmt, einer niedrigen grauen Mauer voller rosa Blumen. Man hätte ohne weiteres hinüberspringen können, aber war man durch die Pforte gegangen, hatte man das Gefühl, die Mauer schütze einen vor allem von draußen. Sie gab einem das Gefühl, daheim und ganz für sich allein zu sein.

Übrigens waren es zwei Häuser, nicht nur eines, obwohl das zweite eher wie ein Stall aussah. Sie lagen im rechten Winkel zueinander und dort, wo sie aufeinander stießen, stand eine alte Bank, die aussah, als stamme sie ungefähr aus der Steinzeit. Jedenfalls war es eine gemütliche Bank und eine gemütliche Ecke. Man bekam fast Lust, sich dort hinzusetzen und ein bisschen zu träumen oder zu reden und den Vögeln zuzusehen und Saft zu trinken.

»Hier gefällt's mir«, sagte ich zu Jonathan. »Ist es im Haus ebenso gemütlich?«

»Guck's dir doch an«, sagte er. Er stand schon vor der Tür und wollte gerade hineingehen, als ein Wiehern zu hören war. Ja, es war tatsächlich ein Pferd, das da wieherte, und Jonathan sagte: »Ich finde, wir gehen erst in den Stall.«

Er ging in das andere Haus und ich lief hinterher, und wie ich hinterherlief!

Es war wahrhaftig ein Pferdestall, genau wie ich es mir gedacht hatte, und dort standen zwei Pferde, zwei schöne

braune Pferde, die uns die Köpfe zuwandten und wieherten.

»Das sind Grim und Fjalar«, sagte Jonathan. »Rat mal, welches von beiden dir gehört!«

»Nein, mich führst du nicht an«, sagte ich. »Versuch nicht mir einzureden, dass ich ein Pferd habe. Denn das glaube ich doch nicht.«

Aber Jonathan erklärte mir, dass man in Nangijala ohne Pferd nicht auskommen könne.

»Ohne Pferd kommt man nicht weit«, sagte er. »Und hier muss man manchmal weite Strecken zurücklegen, verstehst du, Krümel.«

Etwas Besseres konnte ich mir gar nicht vorstellen! Dass man in Nangijala ein Pferd brauchte, war wunderbar, denn Pferde habe ich sehr gern. Wie weich ihre Mäuler sind, es ist nicht zu fassen, dass es so etwas Weiches gibt.

Ungewöhnlich schöne Pferde waren es, diese beiden dort im Stall. Fjalar hatte eine Blesse an der Stirn, sonst waren sie völlig gleich.

»Dann gehört mir vielleicht Grim«, sagte ich, weil Jonathan mich raten ließ.

»Da bist du auf dem Holzweg«, antwortete er, »Fjalar gehört dir.«

Ich ließ Fjalar an mir schnuppern, streichelte ihn und hatte nicht die Spur Angst, obwohl ich eigentlich noch nie ein Pferd angefasst hatte. Ich mochte ihn von Anfang an und Fjalar mochte mich wohl auch, das glaube ich wenigstens.

»Wir haben auch Kaninchen«, sagte Jonathan. »In einem Käfig hinter dem Stall. Aber die kannst du dir ja nachher ansehen.«

Ja, das hatte er sich gedacht!

»Ich muss sie aber jetzt gleich sehen«, sagte ich, denn Kaninchen hatte ich mir schon immer gewünscht und zu Hause in der Stadt hatten wir ja keine halten können. Ich sauste um die Stallecke, und wahrhaftig, dort hockten in einem Käfig drei kleine niedliche Kaninchen, die an Löwenzahnblättern knabberten!

»Komisch«, sagte ich später zu Jonathan, »hier in Nangijala kriegt man wohl alles, was man sich gewünscht hat.«

»Ja, das habe ich dir doch gesagt«, antwortete Jonathan. Und genau das hatte er wirklich gesagt, als er zu Hause in der

Küche bei mir saß. Jetzt aber hatte ich gesehen, dass es auch stimmte, und darüber freute ich mich.

Es gibt Dinge, die man nie vergisst. Nie, nie vergesse ich diesen ersten Abend in der Küche des Reiterhofes, wie wunderbar es war, dort zu liegen und wie früher mit Jonathan zu reden. Jetzt wohnten wir wieder in einer Küche, genauso wie es immer gewesen war. Allerdings sah es hier anders aus als in unserer Küche in der Stadt: Die Küche im Reiterhof war sicher uralt, mit dicken Balken an der Decke und einem großen Kamin. Und was für ein Kamin das war! Er war fast so breit wie die ganze Wand, und wollte man dort etwas kochen, dann musste man es über dem offenen Feuer tun, so wie in alten Zeiten. Mitten im Raum stand der wuchtigste Tisch, den ich je gesehen habe, mit langen Holzbänken zu beiden Seiten. Und bestimmt konnten zwanzig Menschen gleichzeitig daran sitzen und essen, ohne dass es zu eng wurde.

»Ich finde es am besten, wir wohnen in der Küche so wie immer«, sagte Jonathan, »dann kann Mama die Stube kriegen, wenn sie kommt.«

Küche und Stube, das war der ganze Reiterhof, aber mehr waren wir ja nicht gewohnt, und mehr brauchten wir auch nicht.

Trotzdem hatten wir hier mindestens doppelt so viel Platz wie zu Hause.

Zu Hause! Ich erzählte Jonathan von dem Zettel, den ich für Mama auf den Küchentisch gelegt hatte.

»Ich habe ihr geschrieben, dass wir uns in Nangijala wiedersehen. Doch wer weiß, wann sie kommt.«

»Das kann schon noch dauern«, meinte Jonathan. »Jedenfalls kriegt sie eine schöne Stube, mit Platz für zehn Nähma-schinen, wenn sie es möchte.«

Ratet mal, was ich gern mag! Ich mag gern in so einer ur-alten Küche auf einer uralten Wandpritsche liegen und mit Jonathan reden, während der Feuerschein an den Wänden flackert. Und wenn ich aus dem Fenster gucke, dann sehe ich einen Kirschbaumzweig, der leicht im Abendwind schwankt. Und dann schrumpft das Feuer im Kamin und wird immer kleiner, bis nur noch die Glut übrig ist, und in den Winkeln wird es schummrig und ich werde müder und müder und liege da ohne zu husten und Jonathan erzählt mir etwas. Er erzählt und erzählt und schließlich höre ich seine Stimme nur noch wie damals dieses Flüstern und dann schlafe ich ein. Genau das alles mag ich gern und so war es auch an diesem ersten Abend im Reiterhof, und darum vergesse ich ihn nie.

4

Und dann der nächste Morgen. Da ritten wir. Wirklich, ich konnte reiten und dabei saß ich zum ersten Mal auf einem Pferd – ich begreife nicht, dass man in Nangijala einfach alles kann. Ich galoppierte davon, als ob ich nie etwas anderes getan hätte. Aber wie erst Jonathan ritt! Wäre die Frau dabei gewesen, die fand, mein Bruder sehe aus wie ein Märchenprinz, ja, dann hätte sie einen Märchenprinzen zu sehen bekommen, den sie bis an ihr Lebensende nicht vergessen würde! Wenn er in vollem Galopp angeritten kam und mit einem Sprung über den Bach setzte, geradezu hinüberflog, so dass sein Haar wehte, ja, da musste man einfach glauben, dass er ein Märchenprinz war. Er war auch so ähnlich gekleidet, oder vielleicht eher wie ein Ritter. In einem Schrank im Reiterhof gab es alles Mögliche zum Anziehen. Woher die Sachen auch stammen mochten, es waren nicht solche, wie man sie heutzutage trägt, sondern eben Gewänder aus der Ritterzeit. Auch für mich hatten wir etwas herausgesucht, meine eigenen alten und hässlichen Sachen hatten wir weggeworfen und ich wollte sie nie wieder sehen. Denn Jonathan sagte, wir müssten so angezogen sein, wie es zu der Zeit passt, in der wir jetzt lebten, sonst würden die Leute im Kirschtal uns sonderbar finden. Die Zeit der Lagerfeuer und der Sagen, hatte sie Jonathan nicht so genannt?

Als wir dort in unserer schönen Tracht umherritten, fragte ich ihn: »Es ist wohl eine sehr alte Zeit, in der wir hier in Nangijala leben?«

»Ja, aber nur in gewisser Weise«, antwortete Jonathan. »Natürlich ist es eine alte Zeit für uns. Man könnte aber auch sagen, es ist eine junge Zeit.«

Er dachte nach.

»Ja, genau das«, sagte er, »eine junge und frische und gute Zeit, in der es sich einfach und leicht leben lässt.«

Doch dann wurden seine Augen dunkel.

»Wenigstens hier im Kirschtal«, fügte er hinzu.

»Ist es denn nicht überall so?«, fragte ich. Und Jonathan antwortete, nein, so sei es wahrhaftig nicht überall.

Was für ein Glück, dass wir hier gelandet waren! Gerade hier im Kirschtal, wo das Leben so leicht und einfach war, wie Jonathan sagte. Leichter und einfacher und schöner als an so einem Morgen konnte es nicht sein. Man wird dadurch wach, dass die Sonne in die Küche scheint und die Vögel draußen in den Bäumen fröhlich zwitschern, und man sieht zu, wie Jonathan leise umhergeht und Brot und Milch auf den Tisch stellt, und nachdem man gegessen hat, geht man seine Kaninchen füttern und striegelt sein Pferd. Und dann reitet man aus, und wie man ausreitet, und der Tau liegt auf dem Gras, dass es überall nur so blinkt und glitzert. Und Hummeln und Bienen surren in den Kirschblüten und das Pferd läuft im gestreckten Galopp dahin und man hat fast gar keine Angst. Man hat nicht einmal Angst davor, dass alles plötzlich zu Ende ist, so wie es sonst mit allem geht, was Spaß macht. Nein, nicht in Nangijala! Jedenfalls nicht hier im Kirschtal!

Wir ritten lange über die Wiesen, bald hierhin, bald dorthin, wie es gerade kam, dann den Fluss entlang mit all seinen Windungen und Krümmungen und plötzlich sahen wir den Morgenrauch vom Dorf unten im Tal. Zuerst nur die Rauchfahnen, dann aber das ganze Dorf mit seinen alten Häusern und Gehöften. Wir hörten Hähne krähen und Hunde bellen und Schafe und Ziegen blöken und meckern und alles klang nach Morgen. Das Dorf war wohl gerade erwacht.

Eine Frau mit einem Korb am Arm kam uns auf dem Pfad entgegen. Eine Bauersfrau war es gewiss, weder jung noch alt, sondern so dazwischen, und mit gebräunter Haut, wie man sie bekommt, wenn man bei jedem Wetter draußen ist. Sie war altertümlich gekleidet, etwa so wie im Märchen.

»Schau an, Jonathan, dein Bruder ist endlich gekommen«, sagte sie und lächelte freundlich.

»Ja, jetzt ist er gekommen«, sagte Jonathan und man konnte hören, dass er sich darüber freute. »Krümel, dies ist Sophia«, sagte er dann und Sophia nickte.

»Ja, dies ist Sophia«, sagte sie. »Wie gut, dass ich euch treffe, dann könnt ihr selber den Korb tragen.«

Und Jonathan nahm den Korb, als sei er dies gewohnt und brauche nicht zu fragen, was darin ist.

»Du kommst doch mit deinem Bruder heute Abend in den ›Goldenen Hahn‹, damit ihn alle begrüßen können!«, sagte Sophia.

Jonathan versprach es und dann sagten wir ihr Auf Wiedersehen und ritten heimwärts. Ich fragte Jonathan, was der »Goldene Hahn« sei.

»Das Wirtshaus«, antwortete Jonathan. »Es heißt der ›Goldene Hahn‹ und liegt unten im Dorf. Dort treffen sich immer alle und sprechen über das, was besprochen werden muss.«

Ich freute mich darauf, am Abend in den »Goldenen Hahn« zu gehen und die Leute kennen zu lernen, die im Kirschtal lebten. Über das Kirschtal und Nangijala wollte ich nämlich alles wissen. Ich wollte feststellen, ob das, was Jonathan mir gesagt hatte, auch haargenau stimmte.

Außerdem fiel mir gerade etwas ein, woran ich ihn jetzt beim Reiten erinnerte.

»Jonathan, du hast gesagt, dass man in Nangijala von früh bis spät und selbst nachts Abenteuer erlebt. Weißt du das noch? Aber hier ist es ganz ruhig und still und Abenteuer gibt es überhaupt nicht.«

Da lachte Jonathan. »Du bist doch erst gestern angekommen, hast du das vergessen? Du Dummerjan hast hier ja gerade erst die Nase reingesteckt! Abenteuer wirst du schon noch erleben.«

Und ich sagte, dass unser Leben auch so schon abenteuerlich und wunderbar genug sei, der Reiterhof und unsere Pferde und Kaninchen und alles. Abenteuerlicher brauchte es meinetwegen gar nicht zu werden.

Da sah Jonathan mich so seltsam an, fast, als bedauere er mich, und sagte: »Ja, weißt du, Krümel, ich wünschte, dass es für dich so bliebe. Genauso bliebe wie jetzt. Denn glaub mir, es gibt auch Abenteuer, die es nicht geben sollte.«

Nach unserer Heimkehr packte Jonathan Sophias Korb auf dem Küchentisch aus. Darin waren ein Brot und eine Flasche Milch und ein Töpfchen Honig und ein paar Pfannkuchen.

»Sorgt Sophia für unser Essen?«, fragte ich erstaunt. Ich hatte noch gar nicht darüber nachgedacht, woher wir etwas zu essen bekamen.

»Ja, manchmal«, sagte Jonathan.

»Ganz umsonst?«, fragte ich.

»Umsonst, ja, so kann man es vielleicht nennen«, sagte Jonathan und lachte. »Aber hier im Kirschtal ist alles umsonst. Wir geben und helfen einander, wann und wo es nötig ist.«

»Was gibst du denn Sophia?«, fragte ich.

Da lachte er wieder.

»Na ja«, sagte er, »Pferdedung für ihre Rosenbeete zum Beispiel. Um die kümmere ich mich – völlig umsonst.«

Und dann sagte er so leise, dass ich es kaum verstehen konnte: »Außerdem tue ich ihr noch manch anderen Gefallen.«

Und gerade da sah ich, dass er noch etwas aus dem Korb nahm. Ein winziger, zusammengerollter Zettel war es, weiter nichts. Er rollte ihn auseinander und las, was darauf geschrieben stand, und dann runzelte er die Stirn, als missfalle ihm, was er dort las. Doch er sagte mir nichts darüber und ich wollte nicht fragen. Ich dachte, wenn er will, dass ich es erfahre, wird er mir schon erzählen, was auf dem Zettel steht.

In einer Ecke der Küche stand ein alter Schrank. Gleich am ersten Abend im Reiterhof hatte Jonathan mir etwas über diesen Schrank erzählt. Es gebe darin ein Geheimfach, hatte er gesagt, eins, das man nur finden und öffnen könne, wenn man den Mechanismus kenne. Natürlich hatte ich mir dieses Fach sofort angucken wollen, doch da hatte Jonathan gesagt: »Ein andermal. Jetzt musst du schlafen.«

Und dann war ich eingeschlafen und hatte das Ganze vergessen. Erst jetzt fiel es mir wieder ein. Denn Jonathan ging zum Schrank und ich hörte es ein paar Mal seltsam schnarren und knacken. Es war nicht schwer zu erraten, was er da machte. Er versteckte den Zettel im Geheimfach. Dann schloss er den Schrank zu und legte den Schlüssel in einen alten Mörser, der oben auf einem Küchenbord stand.

Danach gingen wir baden und ich sprang von der Brücke, stellt euch vor, das wagte ich! Und dann machte Jonathan mir genauso eine Angel, wie er selber hatte, und wir fingen ein paar Fische. Gerade so viel, dass es für uns beide zum Mittagessen reichte. Ich angelte einen stattlichen Barsch und Jonathan zwei.

Wir kochten die Fische in einem Topf, der an einer Eisenkette über dem Feuer in unserem großen Kamin hing. Und nachdem wir gegessen hatten, sagte Jonathan: »Und jetzt, Krümel, wollen wir mal sehen, ob du schießen kannst. Das muss man manchmal können.«

Er nahm mich mit in den Stall und dort in der Geschirrkammer hingen Pfeile und zwei Bogen. Mir war klar, dass Jonathan sie selbst gemacht hatte, weil er zu Hause in der Stadt oft genug welche für die Kinder auf dem Hof gebastelt hatte. Doch diese waren größer und besser. Es waren schon richtige Waffen.

Wir hängten eine Zielscheibe an die Stalltür und schossen den ganzen Nachmittag lang mit Pfeil und Bogen. Jonathan zeigte mir, wie man es machen muss. Und ich schoss ganz gut, wenn auch nicht so gut wie Jonathan, der fast jedes Mal ins Schwarze traf.

Aber Jonathan war schon komisch. Obwohl er alles viel besser konnte als ich, fand er selbst, es sei nichts Besonderes.

Er prahlte nie, sondern tat alles wie nebenbei. Manchmal glaube ich fast, er wünschte, mir gelänge es besser als ihm. Einmal traf auch ich ins Schwarze und da freute er sich so, als hätte ich ihm ein Geschenk gemacht.

Als die Dämmerung kam, sagte Jonathan, es sei jetzt an der Zeit, zum »Goldenen Hahn« zu reiten. Wir pfiffen Grim und Fjalar herbei.

Sie liefen frei auf der Wiese vor dem Reiterhof umher, doch sobald wir pfiffen, kamen sie zur Pforte galoppiert. Dort sattelten wir sie und stiegen auf und dann ritten wir in gemächlichem Trab ins Dorf hinunter.

Plötzlich wurde ich ängstlich und schüchtern. Ich war es ja kaum gewohnt, mit Menschen zusammen zu sein, schon gar nicht mit den Leuten, die hier in Nangijala lebten, und das sagte ich Jonathan.

»Wovor hast du denn Angst?«, fragte er. »Du glaubst doch wohl nicht, dass jemand dir etwas tun will?«

»Nein, das nicht, aber vielleicht lachen sie über mich.«

Eigentlich fand ich es selbst dumm, was ich da sagte, denn warum sollten sie über mich lachen? Aber so was bilde ich mir ja ständig ein.

»Weißt du, ich finde, wir nennen dich von jetzt ab Karl, weil du doch Löwenherz heißt«, sagte Jonathan. »Krümel Löwenherz – das könnte sie vielleicht zum Lachen bringen. Du selbst hast dich darüber fast totgelacht und ich mich auch.«

Ja, ich wollte gern Karl genannt werden. Das passte wirklich besser zu meinem neuen Nachnamen.

»Karl Löwenherz.« Ich horchte, wie es klang. »Hier reiten Karl und Jonathan Löwenherz.« Ich fand, es klang gut.

»Aber für mich bleibst du doch mein alter Krümel«, sagte Jonathan. »Damit du es nur weißt, kleiner Karl.«

Bald waren wir unten im Dorf und ritten mit klappernden Hufen über die Dorfstraße. Es war nicht schwer, unser Ziel zu finden. Denn schon von weitem hörten wir Lachen und Stimmengewirr. Und das Schild mit einem großen vergoldeten Hahn darauf sahen wir auch. Ja, da lag der »Goldene Hahn«, so ein gemütliches altes Wirtshaus, von denen man in Büchern liest. Aus den kleinen Fenstern leuchtete es uns anheimelnd entgegen. Man bekam direkt Lust, auch einmal in ein Wirtshaus zu gehen. Das hatte ich noch nie getan.

Zunächst aber ritten wir auf den Hof und dort, wo schon eine Menge anderer Pferde stand, banden wir auch Grim und Fjalar an. Jonathan hatte wohl Recht damit, dass man in Nangijala ein Pferd haben müsse. Ich glaube, dass an diesem Abend jeder Bewohner des Kirschtals zum »Goldenen Hahn« geritten war. Als wir eintraten, war die Schankstube voll von Menschen. Männer und Frauen, Groß und Klein; alle Leute aus dem Dorf waren gekommen und saßen da und plauderten und waren vergnügt, nur ein paar kleine Kinder waren schon auf dem Schoß der Eltern eingeschlafen.

Und welchen Jubel es gab, als wir kamen!

»Jonathan«, riefen sie, »da kommt Jonathan!«

Der Wirt selbst – ein stattlicher und recht gut aussehender, rotwangiger Mann – rief so laut, dass es trotz des Lärms zu hören war: »Da kommt Jonathan, nein, da kommen wahrhaftig die Brüder Löwenherz! Alle beide!«

Er kam auf mich zu, packte mich und stellte mich mit Schwung auf einen Tisch, so dass mich alle sehen konnten, und dort stand ich und spürte, dass ich ganz rot wurde.

Und Jonathan sagte: »Das ist mein lieber Bruder Karl Löwenherz, der endlich gekommen ist! Ihr alle müsst nett zu ihm sein, ebenso nett, wie ihr zu mir seid.«

»Ja, darauf kannst du dich verlassen«, sagte der Schankwirt und hob mich herunter. Doch ehe er mich losließ, drückte er mich einen Augenblick an seine Brust und ich merkte, wie stark er war.

»Wir beide«, sagte er, »wir werden genauso gute Freunde werden wie Jonathan und ich. Jossi heiße ich. Doch meistens nennt man mich Goldhahn. Und zum Goldhahn kannst du kommen, wann immer du willst, vergiss das nicht, Karl Löwenherz.«

Auch Sophia saß dort an einem Tisch, aber ganz allein, und Jonathan und ich setzten uns zu ihr. Darüber freute sie sich, glaube ich. Sie lächelte uns an und fragte, wie mir mein Pferd gefalle, und erkundigte sich, ob Jonathan ihr nicht gelegentlich wieder bei der Gartenarbeit helfen könne. Dann aber saß sie stumm da und mir schien, als wäre sie über irgendetwas bekümmert. Auch etwas anderes fiel mir auf. Alle Leute, die dort in der Schankstube saßen, sahen Sophia fast ehrfürchtig an, und stand jemand auf, um nach Hause zu gehen, verneigte er sich zu unserem Tisch hin, geradeso, als wäre sie etwas Besonderes. Ich konnte das nicht begreifen. Sie saß ja dort in ihrem einfachen Kleid und dem Kopftuch und ihren braunen Händen wie eine gewöhnliche Bauersfrau. Was war denn so Besonderes an ihr, das hätte ich gern gewusst.

Mir gefiel es im Wirtshaus. Wir sangen viele Lieder, einige, die ich kannte, und andere, die ich noch nie gehört hatte, und alle Menschen waren fröhlich. Aber waren sie es wirklich? Manchmal kam es mir vor, als hätten sie einen heimlichen Kummer, genau wie Sophia. Es war, als ob sie von Zeit zu Zeit an etwas dächten, wovor sie sich fürchteten. Aber Jonathan hatte mir doch gesagt, das Leben hier im Kirschtal sei so leicht und einfach. Wovor fürchteten sie sich dann? Nun ja, meistens waren sie vergnügt, lachten und sangen, und alle waren gut Freund miteinander und schienen sich gern zu haben. Aber ich glaube, dass sie Jonathan am liebsten mochten. Es war genau wie daheim in der Stadt, ihn mochten alle am liebsten. Aber Sophia hatten sie auch sehr gern, glaube ich.

Später, als Jonathan und ich aufbrachen und auf dem Hof unsere Pferde losbanden, fragte ich: »Jonathan, was ist eigentlich so Besonderes an Sophia?«

Da hörten wir neben uns eine mürrische Stimme, die sagte: »Ja, genau das frage ich mich auch schon lange. Was ist eigentlich so Besonderes an Sophia?«

Auf dem Hof war es dunkel, darum konnte ich den Sprecher nicht sehen. Doch plötzlich trat er in das Licht, das aus einem Fenster kam, und ich erkannte einen Mann, der in der Schankstube nicht weit von uns gesessen hatte, einen Mann mit lockigen roten Haaren und einem kurzen roten Bart. Er war mir deshalb aufgefallen, weil er die ganze Zeit über brummig ausgesehen und auch gar nicht mitgesungen hatte.

»Wer ist das?«, fragte ich Jonathan, als wir im Schritt durch das Hoftor ritten.

»Er heißt Hubert«, sagte Jonathan. »Und er weiß recht gut, was das Besondere an Sophia ist.«

Dann ritten wir heimwärts. Es war ein kühler, sternklarer Abend. Nie zuvor hatte ich so viele Sterne gesehen und nie so strahlende. Ich versuchte zu erraten, welcher Stern unsere Erde war.

Aber Jonathan sagte: »Der Erdenstern, der wandert irgendwo weit, weit draußen im Weltenraum, den kannst du von hier aus nicht sehen.«

Das war fast ein wenig traurig, fand ich.

5

Doch dann kam der Tag, an dem auch ich erfuhr, was an Sophia so besonders war.

Eines Morgens sagte Jonathan: »Heute schauen wir mal bei der Taubenkönigin rein.«

»Das klingt gut«, sagte ich. »Wer ist denn diese Königin?«

»Sophia«, antwortete Jonathan. »Taubenkönigin nenne ich sie nur im Scherz.«

Weshalb, sollte ich bald erfahren.

Zum Tulipahof, wo Sophia wohnte, war es ein gutes Stück. Ihr Haus lag am Ende des Tals, unmittelbar vor den hohen Bergen.

Wir kamen in der Morgenfrühe dort angeritten. Sophia fütterte gerade ihre Tauben. All ihre schneeweißen Tauben! Und da musste ich an jene weiße Taube denken, die einmal auf meinem Fensterblech gesessen hatte, es mochte wohl tausend Jahre her sein.

»Weißt du noch?«, flüsterte ich Jonathan zu. »War es nicht eine von diesen Tauben, die dir ihr Federkleid geliehen hat – damals, als du bei mir warst?«

»Ja«, sagte Jonathan. »Wie hätte ich sonst zu dir kommen können? Nur Sophias Tauben können durch die Himmel fliegen, in jede Ferne.«

Die Tauben umgaben Sophia wie eine weiße Wolke, ganz

still stand sie dort inmitten der flatternden Flügel. Genauso sieht wohl eine Taubenkönigin aus, dachte ich.

Erst jetzt erblickte Sophia uns. Sie grüßte freundlich wie immer, doch froh war sie nicht. Richtig traurig war sie und sie sagte sofort leise zu Jonathan: »Gestern Abend fand ich Violanta tot mit einem Pfeil in der Brust. Oben in der Wolfsschlucht. Und die Botschaft war fort.«

Jonathans Augen wurden dunkel. Nie hatte ich ihn so gesehen, noch nie so verbittert. Ich erkannte ihn kaum wieder, auch seine Stimme nicht.

»Dann ist es so, wie ich vermutet habe«, sagte er. »Wir haben einen Verräter im Kirschtal.«

»Ja, so muss es wohl sein«, sagte Sophia. »Ich habe es bisher nicht glauben wollen. Aber jetzt sehe ich ein, dass es nicht anders sein kann.«

Ihr war anzumerken, wie traurig sie war, und doch wandte sie sich mir zu und sagte: »Komm, Karl, ich will dir wenigstens zeigen, wie es bei mir aussieht.«

Sie lebte auf dem Tulipahof allein mit ihren Tauben und ihren Bienen und ihren Ziegen und einem Garten so voller Blumen, dass man kaum hindurchkommen konnte.

Während Sophia mich herumführte, machte Jonathan sich daran, zu graben und Unkraut zu jäten, wie man es im Frühling im Garten eben tun muss. Ich schaute mir alles an, Sophias viele Bienenkörbe, ihre Tulpen und Narzissen und ihre neugierigen Ziegen. Aber die ganze Zeit über musste ich an diese Violanta denken, wer immer sie auch sein mochte, die oben in den Bergen erschossen worden war.

Wir kehrten bald wieder zu Jonathan zurück. Er kniete dort und jätete und hatte schon ganz schwarze Finger.

Sophia sah ihn bekümmert an und sagte: »Hör mal, mein kleiner Gärtnerbursche, ich glaube, du musst dich bald an eine andere Arbeit machen.«

»Ich verstehe«, sagte Jonathan.

Die arme Sophia, sie war wohl sehr beunruhigt, mehr als

sie sich anmerken lassen wollte. Forschend blickte sie zu den Bergen hinauf und sah dabei so besorgt aus, dass auch ich unruhig wurde. Wonach spähte sie aus? Auf wen wartete sie?

Ich sollte es bald erfahren. Denn plötzlich sagte Sophia: »Dort kommt sie! Gott sei Dank, da ist Paloma!«

Eine ihrer Tauben kam angeflogen. Anfangs sah man sie nur als kleinen Punkt oben im Gebirge, doch bald war sie bei uns und sie landete auf Sophias Schulter.

»Komm, Jonathan!«, rief Sophia ungeduldig.

»Ja, aber Krümel – ich meine Karl«, sagte Jonathan. »Er muss wohl jetzt alles erfahren, nicht?«

»Gewiss«, antwortete Sophia. »Beeilt euch und kommt mit, ihr beide!«

Mit der Taube auf der Schulter lief Sophia vor uns ins Haus. Sie führte uns in eine kleine Kammer neben der Küche und dort verriegelte sie die Tür und schloss die Fensterläden. Sie wollte wohl ganz sicher sein, dass niemand hören und sehen konnte, was wir taten.

»Paloma, meine Taube«, sagte Sophia. »Bringst du uns heute bessere Botschaft als beim letzten Mal?«

Sie steckte die Hand unter einen Flügel und zog eine kleine Kapsel hervor. Daraus nahm sie einen zusammengerollten Zettel, genauso einen, wie ihn Jonathan damals aus dem Korb genommen und im Schrank versteckt hatte.

»Lies!«, sagte Jonathan. »Lies schnell, schnell!«

Sophia las und schrie leise auf.

»Sie haben auch Orwar erwischt«, sagte sie. »Jetzt gibt es dort niemanden mehr, der wirklich etwas tun kann.«

Sie reichte Jonathan den Zettel, und nachdem er ihn gelesen hatte, wurden seine Augen noch dunkler.

»Ein Verräter im Kirschtal«, sagte er. »Was glaubst du, wer es ist? Wer kann so schlecht sein?«

»Ich weiß es nicht«, sagte Sophia. »Noch nicht. Doch gnade ihm Gott, wenn ich es herausfinde!«

Ich hörte zu und begriff nichts.

Sophia seufzte und dann sagte sie: »Erzähle es Karl. Inzwischen mache ich euch Frühstück.«

Und dann ging sie in die Küche.

Jonathan setzte sich mit dem Rücken zur Wand auf den Fußboden, blieb eine Weile stumm so sitzen und schaute auf seine erdigen Finger.

Schließlich sagte er: »Also hör zu! Jetzt, wo Sophia es erlaubt hat, kann ich es dir erzählen.«

Vieles hatte er mir von Nangijala erzählt, schon bevor ich hierher kam und hinterher, aber nichts war mit dem hier zu vergleichen, was ich jetzt in Sophias Kammer zu hören bekam.

»Du weißt doch noch, was ich damals gesagt habe«, begann er. »Dass nämlich das Leben hier im Kirschtal leicht und einfach ist. So ist es gewesen und so könnte es immer noch sein, aber ganz so ist es nicht mehr. Denn wenn das Leben drüben in dem anderen Tal schwer und bedrückend geworden ist, dann wird es auch hier im Kirschtal schwer, verstehst du?«

»Gibt es denn noch ein zweites Tal?«, fragte ich.

Und da erzählte Jonathan mir von Nangijalas beiden grünen Tälern, die so schön in Nangijalas Bergen liegen, dem Kirschtal und dem Heckenrosental. Die hohen, wilden Berge, die diese Täler umschließen, seien schwer zu überwinden, falls man die schmalen, gewundenen Pfade nicht kenne, sagte Jonathan. Doch die Leute in den Tälern kennten diese Pfade und sie könnten frei und ungehindert von dem einen Tal zum anderen kommen.

»Oder, richtiger gesagt, sie konnten es früher«, sagte Jonathan. »Jetzt kommt niemand mehr aus dem Heckenrosental heraus und auch niemand hinein. Niemand außer Sophias Tauben.«

»Weshalb denn?«, fragte ich.

»Weil das Heckenrosental kein freies Land mehr ist«, sagte Jonathan. »Weil das Tal in der Hand des Feindes ist.«

Er sah mich an, als ob es ihm Leid täte, mich zu erschrecken. »Und niemand weiß, wie es dem Kirschtal ergehen wird«, sagte er dann.

Jetzt bekam ich Angst. Hier war ich so sorglos umhergewandert, hatte geglaubt, in Nangijala gäbe es nichts Gefährliches, aber jetzt bekam ich wirklich Angst.

»Was ist das für ein Feind?«, fragte ich.

»Tengil heißt er«, antwortete Jonathan und sprach den Namen so aus, dass er abscheulich und gefährlich klang.

»Wo lebt Tengil?«, fragte ich.

Und da erzählte mir Jonathan von Karmanjaka, dem Land oben in den Bergen. In den Uralten Bergen hinter dem Fluss der Uralten Flüsse, dort herrsche Tengil, grausam wie eine Schlange.

Ich bekam noch mehr Angst, wollte es aber nicht zeigen. »Warum bleibt er denn nicht in seinen Uralten Bergen?«, fragte ich. »Warum muss er nach Nangijala kommen und alles zerstören?«

»Ja, warum?«, sagte Jonathan. »Wer darauf eine Antwort weiß, weiß viel. Ich kann dir nicht sagen, warum er alles vernichten muss. Es ist eben so. Er gönnt den Leuten in den Tälern nicht, dass sie ihr Leben leben. Und er braucht Sklaven.«

Dann saß er wieder stumm da und starrte auf seine Hände. Aber dann murmelte er etwas und ich hörte es: »Dieses Untier, Katla, hat er auch!«

Katla! Ich weiß nicht, weshalb dieses Wort noch abscheulicher klang als alles, was er mir bisher gesagt hatte, und ich fragte ihn: »Wer ist Katla?«

Jonathan schüttelte den Kopf.

»Nein, Krümel, ich weiß, dass du dich schon jetzt fürchtest. Von Katla erzähle ich dir nicht, sonst kannst du heute Nacht nicht schlafen!«

Stattdessen erzählte er mir, was an Sophia so Besonderes war. »Sie leitet unseren geheimen Kampf gegen Tengil«, sagte Jonathan. »Wir bekämpfen ihn, um den Leuten im Heckenrosental zu helfen. Wir müssen es allerdings heimlich tun.«

»Aber warum Sophia?«, fragte ich. »Warum gerade sie?«

»Weil sie stark ist und so etwas kann«, sagte Jonathan. »Und weil sie nicht die Spur Angst hat.«

»Angst hast du doch auch nicht, Jonathan«, sagte ich.

Da dachte er erst ein Weilchen nach und sagte dann: »Nein, Angst habe ich auch nicht.«

Oh, wie ich mir wünschte ebenso mutig zu sein wie Sophia und Jonathan! Aber ich hatte solche Angst, dass ich kaum denken konnte.

»Und das von Sophia und ihren Tauben, die mit geheimen Botschaften über die Berge fliegen, wissen das alle?«, fragte ich.

»Nur die, denen wir völlig vertrauen können«, antwortete Jonathan. »Aber unter ihnen gibt es einen Verräter, und das reicht!« Wieder wurden seine Augen dunkel und er sagte finster: »Als Violanta gestern Abend abgeschossen wurde, hatte sie eine geheime Botschaft von Sophia bei sich. Und wenn diese Botschaft Tengil in die Hände gefallen ist, bedeutet es für viele Menschen im Heckenrosental den Tod.«

Ich fand es abscheulich, dass jemand eine Taube, die weiß und unschuldig dahergeflogen kommt, abschießen konnte, auch wenn sie eine geheime Botschaft bei sich trug.

Und plötzlich fiel mir ein, was wir zu Hause im Schrank versteckt hatten. Ich fragte Jonathan, warum wir solche geheimen Nachrichten in unserem Küchenschrank aufbewahrten. Konnte das nicht gefährlich sein?

»Ja, es ist gefährlich«, sagte Jonathan. »Aber sie bei Sophia zu lassen ist noch gefährlicher. Bei ihr würden Tengils Kundschafter, falls sie ins Kirschtal kommen sollten, zuerst suchen. Aber nicht bei ihrem Gärtnerburschen.«

Das Gute sei, sagte Jonathan, dass niemand außer Sophia wisse, wer er eigentlich sei. Dass er nicht nur ihr Gärtnerbursche sei, sondern auch ihr Helfer im Kampf gegen Tengil.

»Sophia hat es selber so bestimmt«, sagte er. »Sie will nicht, dass es hier im Kirschtal irgendjemand erfährt, und deshalb musst du schwören, es bis zu dem Tag geheim zu halten, an dem Sophia selber es erzählt.«

Und ich schwor, lieber zu sterben als etwas von dem, was ich gehört hatte, zu verraten.

Wir frühstückten bei Sophia und dann ritten wir heim.

An diesem Morgen war noch jemand zu Pferde unterwegs. Jemand, dem wir kurz nach Verlassen des Tulipahofes auf dem Pfad begegneten. Es war der Mann mit dem roten Bart, wie hieß er doch gleich – Hubert?

»Schau an, ihr seid bei Sophia gewesen«, sagte Hubert. »Was habt ihr da gemacht?«

»In ihrem Garten gejätet«, antwortete Jonathan und hielt seine erdigen Hände hoch. »Und du, willst du auf die Jagd gehen?«, fragte er, denn über Huberts Sattelknopf hing sein Bogen.

»Ja, ich will ein paar Kaninchen schießen«, sagte Hubert.

Ich musste an unsere kleinen Kaninchen daheim denken und war froh, als Hubert auf seinem Pferd davontrabte, denn nun brauchte ich ihn nicht länger zu sehen.

»Dieser Hubert«, sagte ich zu Jonathan, »was hältst du eigentlich von ihm?«

Jonathan dachte nach. »Er ist der geschickteste Bogenschütze im ganzen Kirschtal.« Mehr sagte er nicht. Dann spornte er sein Pferd an und wir ritten weiter.

Palomas Botschaft hatte Jonathan bei sich, er trug den Zettel in einem kleinen Lederbeutel unter dem Hemd, und als wir nach Hause kamen, versteckte er ihn im Geheimfach. Vorher aber durfte ich lesen, was darauf geschrieben war. Und da stand: »Orwar wurde gestern angegriffen, man hält ihn in der Katlahöhle gefangen. Einer aus dem Kirschtal muss sein Versteck verraten haben. Ein Verräter ist unter euch, sucht und findet ihn!«

»Sucht und findet ihn«, sagte Jonathan. »Ich wünschte, ich könnte es.«

Es stand noch mehr auf dem Zettel, doch es war in einer Geheimsprache geschrieben, die ich nicht verstand, und Jonathan sagte, ich brauchte es nicht zu wissen. Es sei nur für Sophia bestimmt.

Dann zeigte er mir, wie man das Geheimfach öffnete. Ich durfte es mehrmals öffnen und schließen. Danach machte er es selber zu, schloss den Schrank ab und legte den Schlüssel wieder in den Mörser.

Den ganzen Tag dachte ich an das, was ich erfahren hatte, und in der Nacht schlief ich nicht gut. Ich träumte von Tengil, von toten Tauben und von dem Gefangenen in der Katlahöhle und ich schrie im Traum so laut auf, dass ich davon erwachte.

Und da – glaubt mir oder nicht! –, da sah ich jemanden am Schrank in der dunklen Ecke stehen, einen, der erschrak, als ich aufschrie, und der wie ein schwarzer Schatten zur Tür hinausglitt, ehe ich richtig wach geworden war.

Das alles ging so schnell, dass ich schon glaubte es nur geträumt zu haben. Doch das glaubte Jonathan nicht, als ich ihn geweckt und es ihm erzählt hatte.

»Nein, Krümel, das war kein Traum«, sagte er. »Bestimmt nicht. Es war der Verräter!«

6

Eines Tages schlägt auch für Tengil die Stunde«, sagte Jonathan. Wir lagen unten am Fluss im Gras und es war so ein Morgen, an dem man sich gar nicht vorstellen kann, dass es einen Tengil oder sonst etwas Böses auf der Welt gibt. Ganz still und friedlich war es. Zwischen den Steinen unter der Brücke gluckerte leise das Wasser – sonst hörte man nichts. Es war schön, dort auf dem Rücken zu liegen und nichts weiter zu sehen als die weißen Wölkchen oben am Himmel. Man konnte einfach daliegen und sich wohl fühlen, vor sich hin summen und auf alles Übrige pfeifen.

Und da fängt Jonathan von Tengil an! Ich wollte nicht an ihn erinnert werden, sagte aber doch: »Was meinst du damit? Dass für Tengil die Stunde schlägt?«

»Dass es ihm genauso geht, wie es allen Tyrannen früher oder später ergeht«, sagte Jonathan. »Dass er wie eine Laus zerquetscht wird und für immer verschwindet.«

»Hoffentlich geschieht es bald«, sagte ich.

Da murmelte Jonathan vor sich hin: »Aber er ist stark, dieser Tengil. Und er hat Katla!«

Wieder nannte er diesen furchtbaren Namen. Ich wollte ihn danach fragen, ließ es aber bleiben. An so einem herrlichen Morgen war es besser, nichts von Katla zu erfahren. Doch dann sagte Jonathan etwas, das schlimmer war als alles andere.

»Krümel, du wirst eine Zeit lang auf dem Reiterhof allein bleiben müssen. Denn ich muss ins Heckenrosental.«

Wie konnte er nur so etwas Schreckliches sagen? Wie konnte er glauben, ich würde auch nur eine einzige Minute ohne ihn im Reiterhof bleiben? Und wenn er sich Tengil geradewegs in den Rachen stürzte, ich würde ihn begleiten, und das sagte ich ihm auch.

Da sah er mich so seltsam an und sagte: »Krümel, ich habe einen einzigen Bruder und den möchte ich vor allem Bösen bewahren. Wie kannst du von mir verlangen, dass ich dich mitnehme, wo ich doch all meine Kraft für anderes brauche? Für etwas, das wirklich gefährlich ist.«

Doch was er auch sagte, es half nichts. Ich war traurig und so böse, dass es in mir kochte, und ich schrie: »Und du, wie kannst du von mir verlangen, dass ich allein im Reiterhof hocke und auf dich warte und du womöglich niemals wiederkommst!«

Plötzlich musste ich daran denken, wie es damals gewesen war, damals, als Jonathan tot und fort gewesen war und ich auf meiner Schlafbank in der Küche gelegen und nicht mit Sicherheit gewusst hatte, ob ich ihn wiedersehen würde. Daran zu denken war wie in ein schwarzes Loch starren!

Und nun wollte er mich wieder verlassen, einfach fortgehen, sich in Gefahren begeben, von denen ich nichts wusste. Und wenn er nicht zurückkam, dann gab es diesmal keine Hilfe mehr, dann würde ich für immer allein sein. Ich spürte, dass ich immer zorniger wurde, und schließlich schrie ich ihn an und sagte ihm so viele Gemeinheiten, wie mir einfielen.

Es war nicht leicht für ihn, mich zu beruhigen. Einigermaßen zu beruhigen. Aber natürlich brachte er es schließlich fertig. Ich wusste ja, dass er alles besser verstand als ich.

»Dummkopf du, natürlich komme ich wieder«, sagte er. Er sagte es, als wir uns abends in der Küche am Feuer wärmten. An jenem Abend, bevor er sich auf den Weg machte.

Jetzt war ich nicht mehr böse, nur noch traurig, und Jonathan wusste es. Er war sehr lieb zu mir. Er gab mir frisch gebackenes Brot mit Butter und Honig und erzählte mir Sagen und Geschichten, aber ich konnte gar nicht zuhören. Ich dachte an das, was mir Jonathan von Tengil erzählt hatte, und es kam mir vor, als wäre es die grausamste aller Sagen. Ich fragte Jonathan, warum er sich in eine solche Gefahr begeben müsse. Ebenso gut könne er doch zu Hause am Feuer sitzen und es sich gut gehen lassen. Aber da antwortete mir Jonathan, es gebe Dinge, die man tun müsse, selbst wenn es gefährlich sei.

»Aber warum bloß?«, fragte ich.

»Weil man sonst kein Mensch ist, sondern nur ein Häuflein Dreck«, erwiderte er.

Er hatte mir erzählt, was er vorhatte. Er wollte versuchen Orwar aus der Katlahöhle zu befreien. Denn Orwar sei sogar noch wichtiger als Sophia, sagte er, und ohne Orwar wäre es wohl aus mit Nangijalas grünen Tälern.

Es war spät am Abend. Das Feuer im Kamin erlosch, es wurde Nacht.

Und es wurde wieder Tag. Ich stand an der Gartenpforte und sah Jonathan davonreiten und im Nebel verschwinden, ja, an diesem Morgen lag Nebel über dem Kirschtal. Und glaubt mir, das Herz wollte mir brechen, so war mir zumute, als ich dort stand und mit ansehen musste, wie ihn der

Nebel verschlang, wie Jonathan ausgelöscht wurde und verschwand. Und ich blieb allein zurück. Es war nicht zu ertragen. Ich war wie verrückt vor Kummer. Ich lief in den Stall, führte Fjalar hinaus, warf mich in den Sattel und jagte hinter Jonathan her. Einmal noch musste ich ihn sehen, ehe ich ihn vielleicht für immer verlor.

Er wollte erst zum Tulipahof reiten, um von Sophia Anweisungen zu bekommen, das wusste ich, also ritt ich dorthin. Ich ritt wie ein Besessener und dicht vor dem Hof holte ich ihn ein. Da schämte ich mich fast und wollte mich verstecken, aber er hatte mich schon gesehen und gehört.

»Was willst du?«, fragte er.

Ja, was wollte ich eigentlich?

»Kommst du auch ganz bestimmt wieder?«, murmelte ich. Es war das Einzige, was mir einfiel.

Da kam er an meine Seite geritten und unsere Pferde blieben nebeneinander stehen. Er wischte mir etwas von der Wange, Tränen waren es wohl, mit dem Zeigefinger tat er es und dann sagte er: »Weine nicht, Krümel! Wir sehen uns wieder – bestimmt! Wenn nicht hier, dann in Nangilima.«

»Nangilima?«, fragte ich. »Was ist denn das?«

»Davon erzähle ich dir ein andermal«, antwortete Jonathan.

Ich begreife nicht, wie ich diese Zeit allein auf dem Reiterhof ertragen habe, und weiß nicht, wie ich die Tage verbrachte. Natürlich versorgte ich meine Tiere. Meistens war ich wohl im Stall bei Fjalar. Und manche Stunde hockte ich bei meinen Kaninchen und redete mit ihnen. Ein wenig angelte ich auch und badete und schoss mit Pfeil und Bogen nach der Scheibe, doch alles kam mir so dumm vor, weil Jonathan nicht dabei war. Hin und wieder brachte Sophia mir Essen und dann sprachen wir von ihm. Ständig hoffte ich, sie werde sagen: »Jetzt kommt er bald nach Hause.« Aber sie sagte es nicht. Und ich wollte sie fragen, warum sie nicht an Jonathans Stelle ausgezogen sei, um Orwar zu befreien. Doch wozu fragen, ich wusste es ja.

Weil Tengil Sophia hasste.

»Sophia im Kirschtal und Orwar im Heckenrosental sind seine ärgsten Feinde und, glaub mir, er weiß es«, hatte Jonathan gesagt, als er mir alles erzählt hatte.

»Orwar hält er in der Katlahöhle gefangen und nur zu gern will er auch Sophia dahin schaffen, um sie verschmachten und sterben zu lassen. Dieser elende Kerl, fünfzehn Schimmel hat er demjenigen als Belohnung versprochen, der ihm Sophia tot oder lebendig bringt.«

All das hatte Jonathan mir erzählt. Also wusste ich recht gut, warum Sophia nicht in das Heckenrosental reiten konnte. Stattdessen musste Jonathan es tun. Von ihm wusste Tengil nichts. Wenigstens konnte man es glauben und hoffen. Doch einer musste durchschaut haben, dass Jonathan nicht nur ein Gärtnerbursche war. Jener Mann, der nachts bei uns gewesen war. Jener, den ich am Küchenschrank gesehen hatte. Vor ihm konnte sich Sophia nicht genug hüten.

»Jener Mann weiß zu viel«, sagte sie.

Und sie wünschte, dass ich ihr sofort berichtete, wenn wieder jemand auf dem Reiterhof herumschnüffelte. Ich aber sagte ihr, dass man im Küchenschrank vergeblich suchen werde, denn die geheimen Papiere seien nun woanders verwahrt. Sie lägen jetzt in der Geschirrkammer in der Haferkiste. In einer großen Schnupftabaksdose unter all dem Hafer.

Sophia ging mit mir in die Geschirrkammer und kramte die Dose hervor und legte eine neue Botschaft hinein. Es sei ein gutes Versteck, meinte sie, und das fand ich auch.

»Halte durch, wenn du irgend kannst«, sagte Sophia, als sie ging. »Ich weiß, es ist schwer, aber du musst durchhalten!«

Und ob es schwer war! Besonders abends und nachts. Ich träumte so schrecklich von Jonathan und ängstigte mich immer um ihn, auch wenn ich wach war.

Eines Abends ritt ich zum »Goldenen Hahn«. Ich ertrug es nicht, nur zu Hause zu hocken, es war so still auf dem Reiterhof, meine Gedanken waren nur allzu gut zu hören. Und es waren Gedanken, die mich nicht froh machten.

Wie mich alle anstarrten, als ich ohne Jonathan in die Schankstube trat!

»Was ist denn los?«, fragte Jossi. »Nur die Hälfte der Brüder Löwenherz! Wo hast du denn Jonathan gelassen?«

Jetzt saß ich in der Patsche. Natürlich dachte ich an das, was Jonathan und Sophia mir immer wieder gesagt hatten. Was auch geschah, keinesfalls durfte ich erzählen, was Jonathan vorhatte und wohin er unterwegs war. Keiner Menschenseele! Ich tat also, als hätte ich Jossis Frage überhört. Aber dort saß Hubert an seinem Tisch und wollte es auch wissen.

»Ja, wo ist Jonathan?«, fragte er. »Sophia ist doch ihren Gärtnerburschen nicht etwa losgeworden?«

»Jonathan ist auf der Jagd«, sagte ich. »Er ist in den Bergen und jagt Wölfe.«

Irgendwas musste ich ja sagen und ich fand, es war gut ausgedacht, denn Jonathan hatte mir erzählt, es gäbe in den Bergen hier und da Wölfe.

Sophia war an diesem Abend nicht im Wirtshaus. Doch

sonst war fast das ganze Dorf dort versammelt, wie immer. Und alle sangen ihre Lieder und vergnügten sich, wie immer. Ich aber sang nicht mit. Für mich war es nicht wie immer. Ohne Jonathan fühlte ich mich dort nicht wohl und deshalb blieb ich auch nicht lange.

»Schau nicht so traurig drein, Karl Löwenherz«, sagte Jossi, als ich ging. »Jonathan hat wohl bald genug gejagt und dann kommt er wieder heim.«

Wie dankbar ich ihm für diese Worte war! Jossi streichelte mir die Wange und schenkte mir ein paar Kekse.

»Da hast du was zu knabbern, während du zu Hause sitzt und auf Jonathan wartest«, sagte er.

Er war wirklich nett, der Goldhahn. Und deshalb kam ich mir ein bisschen weniger verlassen vor.

Ich ritt mit meinen Keksen nach Hause, setzte mich vor das Feuer und aß sie auf. Tagsüber war es jetzt warm, es war ja auch beinahe Sommer. Trotzdem musste ich noch unseren großen Kamin heizen, denn die Sonnenwärme hatte die dicken Mauern des Hauses noch nicht durchdrungen.

Ich fror, als ich auf meine Schlafbank kroch, dennoch schlief ich bald ein. Und ich träumte von Jonathan. Ein Traum so grauenvoll, dass ich davon aufwachte.

»Ja, Jonathan«, schrie ich. »Ich komme!«, schrie ich und stürzte aus dem Bett. Die Dunkelheit ringsum schien widerzuhallen von Schreien, von Jonathans Schreien! Er hatte im Traum nach mir gerufen, er brauchte Hilfe. Ich wusste es. Ich hörte ihn noch immer und wäre am liebsten in die finstere Nacht hinausgestürzt, um zu ihm zu gelangen, wo immer er war. Doch bald sah ich ein, wie unmöglich es war. Was konnte ich schon tun, niemand war so hilflos wie ich! Ich konnte nur in mein Bett zurückkriechen und dort lag ich dann zitternd und fühlte mich so verloren, klein und verängstigt und einsam, so einsam wie niemand sonst auf der Welt.

Und es wurde auch nicht viel besser, als der Morgen kam und ein heller, klarer Tag anbrach. Gewiss war es jetzt schwerer, sich richtig zu erinnern, wie schrecklich der Traum gewesen war, aber dass Jonathan um Hilfe geschrien hatte, das konnte ich nicht vergessen. Mein Bruder hatte mich gerufen, musste ich da nicht versuchen zu ihm zu gelangen?

Ich saß stundenlang draußen bei meinen Kaninchen und grübelte, was ich tun könnte. Es gab niemanden, mit dem ich hätte sprechen, niemanden, den ich hätte fragen können. Ich musste selber entscheiden. Zu Sophia konnte ich nicht gehen: Sie hätte mich zurückgehalten. Nie im Leben würde sie mich fortlassen, so närrisch war sie nicht. Denn das, was ich vorhatte, war ganz gewiss närrisch. Und auch gefährlich. Über alle Maßen gefährlich. Und ich war ja nicht gerade der Mutigste. Wie lange ich dort neben der Stallwand gesessen und Gras ausgerupft habe, weiß ich nicht. Jedenfalls rupfte ich jeden einzelnen Grashalm um mich herum aus, doch das merkte ich erst hinterher, nicht während ich dort saß und mich quälte. Die Stunden vergingen und vielleicht säße ich immer noch dort, wäre mir nicht plötzlich eingefallen, was Jonathan gesagt hatte: Manchmal müsse man etwas Gefährliches tun, weil man sonst kein Mensch sei, sondern nur ein Häuflein Dreck!

Da entschloss ich mich. Ich schlug mit der Faust an den Käfig, dass die Kaninchen zusammenfuhren, und sagte laut, damit es auch keinen Zweifel mehr gäbe: »Ich tue es! Ich tue es! Ich bin kein Häuflein Dreck!«

Oh, was für ein schönes Gefühl es war, sich endlich entschlossen zu haben!

»Ich weiß, dass es richtig ist«, sagte ich zu den Kaninchen, denn sonst hatte ich ja niemanden, mit dem ich reden konnte. Die Kaninchen, ja, die würden jetzt verwildern. Ich nahm sie aus dem Käfig, trug sie auf dem Arm bis zur Gartenpforte und zeigte ihnen das grüne, liebliche Kirschtal.

»Das ganze Tal ist voller Gras«, sagte ich, »und da gibt es eine Menge anderer Kaninchen, mit denen ihr zusammen sein könnt. Ich glaube, es ist da viel lustiger für euch als im Käfig. Nur vor dem Fuchs und vor Hubert müsst ihr euch in Acht nehmen.«

Alle drei schienen ein wenig verdutzt und machten ein paar kleine Hopser, als wollten sie feststellen, ob dies auch wahr sein könnte. Doch dann liefen sie davon und verschwanden blitzschnell zwischen den grünen Hügeln.

Danach machte ich mich eiligst daran, alles vorzubereiten. Ich trug zusammen, was ich mitnehmen wollte: eine Wolldecke, mit der ich mich zudecken konnte. Einen Feuerstein zum Feueranmachen. Einen Sack voller Hafer für Fjalar. Und Reiseproviant für mich selber. Allerdings hatte ich nichts anderes als Brot, aber es war das beste Brot, das es gab, Sophias Roggenbrot. Sie hatte mir eine ganze Menge davon gebracht und ich stopfte meinen Rucksack damit voll. Das reicht lange, dachte ich, und wenn es alle ist, dann muss ich wohl Gras essen wie die Kaninchen.

Sophia hatte versprochen mir am nächsten Tag Suppe zu bringen, doch dann würde ich schon weit fort sein. Die arme Sophia, nun musste sie ihre Suppe selber essen! Aber ich durfte sie nicht im Ungewissen darüber lassen, wo ich war.

Erfahren musste sie es, allerdings erst, wenn es zu spät war. Zu spät, um mich zurückzuhalten.

Ich nahm ein Stück Kohle aus dem Herd und schrieb mit großen, schwarzen Buchstaben an die Küchenwand:

»Jemand rief nach mir im Traum, ihn suche ich in der Ferne hinter den Bergen.«

So rätselhaft schrieb ich, weil ich dachte: Kommt ein anderer als Sophia auf den Reiterhof, einer, der nur schnüffeln will, dann versteht er diese Worte nicht. Vielleicht glaubt er, ich hätte versucht so was wie ein Gedicht zu machen. Sophia aber würde sofort verstehen, was ich damit sagen wollte: Ich bin fort, auf der Suche nach Jonathan!

Ich war froh und zum ersten Mal kam ich mir tapfer und stark vor. Ich sang vor mich hin:

»Jemand rief nach mir im Traum, ihn suche ich in der Ferne hinter den Be-e-e-ergen.« Wie gut es klang! Das werde ich Jonathan erzählen, wenn ich ihn finde, dachte ich.

Falls ich ihn finde, dachte ich dann. Aber wenn nicht . . .

Und da verflog mein ganzer Mut mit einem Mal. Ich wurde wieder ein Häuflein Dreck. Ein kleines ängstliches Häuflein Dreck, was ich immer gewesen war. Und wie immer sehnte ich mich danach, bei Fjalar zu sein. Ich musste sofort zu ihm. Bei ihm zu sein war das Einzige, was mir ein wenig half, wenn ich traurig und ängstlich war. Wie oft hatte ich nicht schon bei ihm in der Box gestanden, wenn ich es nicht ausgehalten hatte, länger allein zu sein! Wie oft hatte es mich nicht schon getröstet, in seine Augen zu sehen, seine Wärme zu spüren und sein weiches Maul zu fühlen. Ohne Fjalar hätte ich diese Zeit ohne Jonathan nicht überstehen können.

Ich lief zum Stall.

Fjalar war nicht allein in seiner Box. Hubert stand neben ihm. Ja, da stand Hubert, tätschelte mein Pferd und setzte ein breites Grinsen auf, als er mich sah.

Mir pochte das Herz.

Er ist der Verräter, dachte ich. Wahrscheinlich hatte ich es schon lange gespürt, jetzt aber war ich sicher. Hubert war der Verräter, warum sonst war er zum Reiterhof gekommen und schnüffelte hier herum?

»Der Mann weiß zu viel«, hatte Sophia gesagt und Hubert war dieser Mann. Das wurde mir jetzt klar.

Aber wie viel wusste er? Wusste er alles? Wusste er auch, was wir in der Haferkiste versteckt hatten? Ich versuchte nicht zu zeigen, wie groß meine Angst war.

»Was tust du hier?«, fragte ich so forsch, wie ich nur konnte. »Was hast du bei Fjalar zu suchen?«

»Nichts«, sagte Hubert. »Ich wollte zu dir, doch da hörte ich dein Pferd wiehern und ich mag Pferde. Ein feines Pferd, dein Fjalar!«

Mir machst du nichts vor, dachte ich und fragte: »Und was willst du von mir?«

»Dir das hier geben«, sagte Hubert und reichte mir etwas, das in ein Stück weißes Leinen gehüllt war. »Du hast gestern Abend so traurig und hungrig ausgesehen und da dachte ich, dass es auf dem Reiterhof mit dem Essen vielleicht schlecht bestellt sei, jetzt, wo Jonathan auf der Jagd ist.«

Ich wusste nicht, was ich tun oder sagen sollte, und ich murmelte nur ein »danke«. Aber nein, von einem Verräter konnte ich kein Essen annehmen! Oder doch?

Ich öffnete das Leinenbündel und hielt eine prächtige

Hammelkeule in der Hand, gedörrt und geräuchert, einen Leckerbissen, »Hammelfiedel« nennt man diesen Schinken manchmal aus Spaß.

Sie duftete herrlich. Ich hatte Lust, auf der Stelle hineinzubeißen. Dabei hätte ich Hubert eigentlich bitten müssen, sich mitsamt seiner Hammelfiedel zum Kuckuck zu scheren.

Aber ich tat es nicht. Mit Verrätern abzurechnen war Sophias Sache. Mir blieb nichts anderes übrig als ganz ahnungslos zu tun. Außerdem wollte ich die Hammelfiedel gern behalten. Nichts konnte meinen Reisevorrat besser ergänzen.

Hubert stand noch immer bei Fjalar.

»Du bist wirklich ein schönes Pferd«, sagte er. »Beinahe ebenso schön wie meine Blenda.«

»Blenda ist eine Schimmelstute«, sagte ich. »Magst du Schimmel?«

»Ja, Schimmel mag ich besonders gern«, sagte Hubert.

Am liebsten hättest du wohl fünfzehn Stück davon, dachte ich, sprach es aber nicht aus. In diesem Augenblick sagte Hubert etwas Schreckliches.

»Wollen wir Fjalar nicht ein bisschen Hafer geben? Er kann doch auch etwas Gutes kriegen.«

Ich konnte ihn nicht hindern. Er ging geradewegs in die Geschirrkammer und ich lief hinterher. Ich wollte schreien: »Lass das«, bekam aber kein Wort heraus.

Hubert öffnete den Deckel der Haferkiste und ergriff die Kelle, die obenauf lag. Ich schloss die Augen. Denn ich wollte nicht mit ansehen, wie er die Schnupftabaksdose herausfischte. Da hörte ich ihn einen Fluch ausstoßen, öffnete die Augen und sah eine Maus über den Kistenrand flitzen. Hubert versuchte ihr einen Tritt zu versetzen, doch sie huschte davon und verschwand irgendwo in einem Loch.

»Sie hat mich in den Daumen gebissen, das kleine Biest«, sagte Hubert. Er besah sich seinen Daumen. Und da nutzte ich die Gelegenheit: Ganz schnell füllte ich die Kelle voll Hafer und schlug Hubert den Deckel vor der Nase zu.

»Da wird sich Fjalar aber freuen«, sagte ich. »Um diese Tageszeit kriegt er sonst nie Hafer.«

Aber du freust dich wohl weniger, dachte ich, als Hubert kurzerhand Auf Wiedersehen sagte und durch die Stalltür davontrottete.

Diesmal hatte er keine Geheimbotschaften ergattern können. Aber ich musste unbedingt ein neues Versteck finden. Nach langem Überlegen vergrub ich die Dose schließlich im Kartoffelkeller. Gleich hinter der Tür links.

Und dann schrieb ich an die Küchenwand ein neues Rätsel für Sophia:

»Rotbart möchte viele Schimmel haben und weiß zu viel. Vorsicht!«

Mehr konnte ich für Sophia nicht tun.

Am nächsten Morgen, bevor die Leute im Kirschtal erwachten, verließ ich bei Sonnenaufgang den Reiterhof und ritt in die Berge hinauf.

7

Ich erzählte Fjalar, wie es war, ich zu sein, ich auf dem langen Ritt in die Berge.

»Begreifst du, was für ein Abenteuer es für mich ist? Bedenk doch, dass ich daheim fast ständig auf der Schlafbank gelegen habe! Und glaub ja nicht, dass ich Jonathan auch nur eine Minute vergesse. Denn sonst würde ich jubeln, dass es von den Bergen widerhallt, so herrlich ist es hier!«

Ja, es war herrlich, Jonathan hätte mich verstanden. Was für Berge! Dass es so hohe überhaupt geben konnte und mitten darin die vielen klaren kleinen Seen und rauschende Bäche und Wasserfälle und Wiesen voller Frühlingsblumen! Und ich, Krümel, saß auf meinem Pferd und sah das alles! Dass es so schön auf der Welt sein konnte, hatte ich nicht gewusst und mir wurde ganz taumelig – zuerst!

Denn allmählich wurde es anders. Ich hatte einen schmalen Reitpfad entdeckt. Es musste der Pfad sein, von dem Jonathan gesprochen hatte. Er führt in Windungen und Krümmungen über die Berge ins Heckenrosental, hatte er gesagt. Und Windungen und Krümmungen gab es wahrhaftig genug. Nach einiger Zeit hatte ich die Blumenwiesen hinter mir gelassen, die Berge wurden wilder und bedrohlicher, der Pfad immer tückischer. Bald führte er steil aufwärts, bald fiel er jäh ab, manchmal schlängelte er sich auf schmalen Felsvorsprüngen an gewaltigen Tiefen vorbei, so dass ich dachte, das kann niemals gut gehen. Doch Fjalar schien mit gefährlichen Bergpfaden vertraut zu sein, ja, Fjalar war fabelhaft.

Gegen Abend waren wir müde, ich und mein Pferd, und ich schlug ein Lager auf für die Nacht. Auf einem kleinen grünen Fleckchen, wo Fjalar weiden konnte, und dicht an einem Bach, aus dem wir beide trinken konnten.

Und dann machte ich mir ein Lagerfeuer. Mein Leben lang hatte ich mir gewünscht an einem Lagerfeuer zu sitzen. Jonathan hatte mir immer erzählt, wie herrlich es sei. Und nun endlich!

»Jetzt, Krümel, jetzt endlich erlebst du es«, sagte ich laut zu mir selbst.

Und ich schichtete Reisig und dürre Zweige zu einem großen Haufen auf und entzündete ein prasselndes Lagerfeuer und die Funken stoben nur so umher und ich saß daneben und es war genauso, wie Jonathan es mir erzählt hatte. Genauso herrlich war es, dort zu hocken, ins Feuer zu blicken, mein Brot zu essen und an meiner Hammelkeule zu nagen. Sie schmeckte köstlich und ich wünschte nur, jemand anders als dieser Hubert hätte sie mir geschenkt.

Mir war so froh zumute und in meiner Einsamkeit sang ich ein bisschen vor mich hin: »Mein Brot und mein Feuer und mein Pferd! Mein Brot und mein Feuer und mein Pferd« – etwas anderes fiel mir nicht ein.

Lange saß ich so da und dachte an alle Lagerfeuer, die seit Urzeiten in der Wildnis überall auf der Welt gebrannt hatten und die nun längst erloschen waren. Aber meins brannte hier und jetzt!

Um mich herum wurde es dunkel. Die Berge wurden so

schwarz, oh, wie finster sie wurden und wie schnell es ging! Mir wurde unbehaglich bei all dieser Finsternis. Wie leicht konnte mich jemand überfallen. Im Übrigen war es Schlafenszeit, also schürte ich das Feuer gründlich, sagte Fjalar Gute Nacht und wickelte mich dicht neben dem Feuer in die Wolldecke. Ich wünschte mir nur eins: sofort einzuschlafen, noch bevor ich anfing mich zu fürchten.

Ja, Pustekuchen! Und wie ich mich fürchtete! Ich kenne keinen, der sich so schnell fürchtet wie ich mich. Die Gedanken kreisten in meinem Kopf herum – sicherlich lauerte mir dort in der Finsternis jemand auf, sicherlich wimmelte es hier in den Bergen von Tengils Kundschaftern und Soldaten, sicherlich war Jonathan schon längst tot, all diese Gedanken drehten sich in meinem Kopf herum und ich konnte nicht einschlafen.

Mit einem Mal ging der Mond hinter einem Berggipfel auf. Vielleicht war es gar nicht der Mond, den ich kannte, aber er sah genauso aus und er schien so, wie ich es noch nie erlebt hatte. Aber ich hatte ja auch noch nie Mondschein im Gebirge erlebt. Alles war wie verwunschen. Ich war in einer sonderbaren Welt, die nur aus Silber und schwarzen Schatten bestand. Schön war es wohl, aber zugleich auch seltsam traurig. Und unheimlich. Wo der Mond hinschien, war es zwar hell, aber in den Schatten konnten Gefahren lauern.

Ich zog mir die Wolldecke über die Augen, um nichts mehr zu sehen. Doch stattdessen hörte ich jetzt etwas, ja, ich hörte etwas: ein Heulen fern in den Bergen. Und dann näher. Fjalar wieherte, er fürchtete sich. Und da begriff ich, was es war. Es war Wolfsgeheul.

Wer so viel Angst hat wie ich, hätte vor Schreck beinahe

sterben können, aber als ich sah, wie Fjalar sich fürchtete, versuchte ich Mut zu fassen.

»Fjalar, Wölfe fürchten sich vor dem Feuer, weißt du das nicht?«, sagte ich, glaubte aber selber nicht recht daran und die Wölfe hatten wohl auch nie davon gehört. Denn jetzt sah ich sie, sie kamen näher, unheimliche graue Schemen, die im Mondschein heranschlichen und vor Hunger heulten.

Da heulte auch ich auf. Ich schrie, als ob ich am Spieß steckte. Nie zuvor habe ich so gellend geschrien und mein Schreien verscheuchte die Wölfe.

Aber nicht für lange. Bald kamen sie wieder. Diesmal noch

näher. Ihr Geheul machte Fjalar rasend vor Angst. Und mich auch. Ich wusste, jetzt mussten wir sterben, wir beide. Für mich war es ja im Grunde nichts Neues, ich war ja schon einmal gestorben. Aber damals wollte ich sterben, damals sehnte ich mich danach und jetzt wollte ich es nicht. Jetzt wollte ich leben und bei Jonathan sein. O Jonathan, könntest du mir doch helfen!

Jetzt waren sie schon ganz nahe, die Wölfe. Einer war größer als die übrigen und frecher. Er war wohl der Leitwolf. Er würde sich auf mich stürzen, das spürte ich. Er umkreiste mich und heulte, heulte, dass mir das Blut in den Adern gefror. Ich warf einen brennenden Ast nach ihm und schrie dabei laut, doch das reizte ihn nur noch mehr. Ich sah seinen Rachen und seine schrecklichen Zähne, die mir an die Kehle wollten. Jetzt – Jonathan, Hilfe! –, jetzt setzte er zum Sprung an!

Doch da! Was war das? Mitten im Sprung jaulte er auf und fiel zu meinen Füßen nieder. Tot! Mausetot! Und in seinem Kopf steckte ein Pfeil.

Von welchem Bogen stammte dieser Pfeil? Wer hatte mir das Leben gerettet? Aus dem Schatten hinter einer Felswand trat eine Gestalt hervor. Hubert! Er stand dort mit seinem hämischen Grinsen und doch wäre ich am liebsten auf ihn zugestürzt und hätte ihn umarmt, so sehr freute ich mich ihn zu sehen. Zuerst. Nur im allerersten Augenblick.

»Ich bin wohl gerade zur rechten Zeit gekommen«, sagte er.

»Ja, das bist du wirklich«, sagte ich.

»Warum bist du denn nicht zu Hause auf dem Reiterhof?«, fragte er. »Was hast du hier mitten in der Nacht zu suchen?«

Und du selber, dachte ich, denn jetzt fiel mir wieder ein, wer er war. Welch heimtückischen Verrat planst du hier nachts in den Bergen? Oh, weshalb musste ein Verräter mein Retter sein, weshalb musste ich ausgerechnet Hubert dankbar sein, nicht nur für die Hammelfiedel, sondern sogar für mein Leben!

»Was hast du selber hier mitten in der Nacht zu suchen?«, fragte ich mürrisch.

»Wölfe schießen, das hast du ja wohl gemerkt«, antwortete Hubert. »Übrigens habe ich dich heute Morgen losreiten sehen und da dachte ich mir, es wäre gut, aufzupassen, damit dir nichts zustößt. Deshalb bin ich dir nachgeritten.«

Ja, lüge du nur, dachte ich. Früher oder später kriegst du es mit Sophia zu tun, dann kann man dich nur noch bedauern.

»Wo steckt denn Jonathan?«, fragte Hubert. »Wer auf der Wolfsjagd ist, sollte eigentlich hier sein und einige erschießen.«

Ich blickte umher. Die Wölfe waren verschwunden. Sie hatten es wohl mit der Angst gekriegt, als der Leitwolf tot niedergefallen war. Und vielleicht trauerten sie um ihn, denn in der Ferne hörte ich klagendes Geheul.

»Na, wo steckt Jonathan?«, fragte Hubert beharrlich und da blieb mir nichts anderes übrig als gleichfalls zu lügen.

»Er kommt gleich wieder. Er verfolgt gerade ein Wolfsrudel«, sagte ich und wies zu den Bergen hinauf.

Hubert grinste. Er glaubte mir nicht, das sah ich ihm an.

»Willst du nicht doch lieber mit mir ins Kirschtal zurückkommen?«, fragte er.

»Nein, ich muss auf Jonathan warten«, antwortete ich. »Er muss jeden Augenblick wieder hier sein.«

»Aha«, sagte Hubert. »Aha«, wiederholte er und sah mich dabei ganz merkwürdig an. Und dann – dann zog er das Messer aus seinem Gürtel. Ich schrie leise auf. Was hatte er vor? Wie er dort mit dem Messer in der Hand vor mir im Mondschein stand, jagte er mir größeres Entsetzen ein als alle Wölfe in den Bergen.

Er will meinen Tod, fuhr es mir durch den Kopf. Er weiß, dass ich weiß, dass er der Verräter ist, und deshalb ist er mir nachgeritten und will mich jetzt töten.

Ich begann am ganzen Körper zu zittern. »Tu's nicht«, schrie ich. »Tu's nicht!«

»Tu was nicht?«, fragte Hubert.

»Töte mich nicht«, schrie ich.

Da wurde Hubert ganz blass vor Zorn. Mit einem Satz war er bei mir, so nahe, dass ich vor Schrecken fast hintenübergefallen wäre. »Du kleiner Lümmel, was sagst du da?«

Er packte mich bei den Haaren und schüttelte mich.

»Du Schafskopf«, sagte er. »Hätte ich dich tot sehen wollen, hätt ich dich dem Wolf überlassen können.«

Er hielt mir das Messer unter die Nase, es war ein scharfes Messer, das sah ich.

»Damit ziehe ich den Wölfen das Fell vom Leibe«, sagte er. »Dazu brauche ich es und nicht, um kleine dumme Bengels totzustechen.«

Er gab mir einen Tritt in den Hintern, dass ich vornüberstolperte. Und dann machte er sich daran, den Wolf zu häuten, und die ganze Zeit über fluchte er vor sich hin.

Ich aber stieg, so schnell ich konnte, auf Fjalar, denn ich wollte nichts als fort von hier, oh, wie ich mir wünschte von hier fortzukommen!

77

»Wo willst du hin?«, schrie Hubert.

»Ich reite Jonathan entgegen«, sagte ich und hörte selber, wie verängstigt und jämmerlich es klang.

»Ja, tu das nur, du Schafskopf«, rief Hubert. »Bring dich um, bitte schön, ich werde dich nicht mehr davon abhalten.«

Aber da preschte ich schon in vollem Galopp davon und Hubert konnte mir egal sein.

Vor mir im Mondschein wand sich der Pfad höher in die Berge empor. Ein mildes Mondlicht schien, ganz klar war es, beinahe wie Tageslicht, so dass man alles erkennen konnte, was für ein Glück! Sonst wäre ich verloren gewesen. Denn hier gab es Steilhänge und Abgründe, dass einem schwindelte vor so viel schrecklicher Schönheit. Es war, als reite man in einem Traum, ja, diese ganze Mondscheinlandschaft kann es nur in einem schönen und wilden Traum geben, dachte ich und sagte zu Fjalar: »Wer, glaubst du, träumt dies wohl? Ich jedenfalls nicht. Es muss jemand anders sein, der sich etwas so übernatürlich Schreckliches und Schönes zusammengeträumt hat, vielleicht Gott?«

Aber bald war ich so matt und müde, dass ich mich kaum noch im Sattel halten konnte. Irgendwo musste ich während der Nacht ausruhen.

»Am liebsten dort, wo es keine Wölfe gibt«, sagte ich zu Fjalar und das schien auch seine Meinung zu sein.

Wer war eigentlich diese Bergpfade als Erster gegangen und hatte zwischen den Tälern von Nangijala den Weg gebahnt? Wer hatte sich ausgedacht, wie dieser Pfad ins Heckenrosental verlaufen sollte? Musste sich dieser Steig wirklich auf so schmalen und winzigen Felsvorsprüngen an so furchtbaren Abgründen entlangwinden?

Mir war klar, dass, wenn Fjalar auch nur einmal danebentrat, wir beide in die Tiefe stürzen würden und niemand je erfahren würde, was aus Karl Löwenherz und seinem Pferd geworden war.

Es wurde immer schlimmer. Schließlich wagte ich nicht einmal die Augen offen zu halten, denn sollten wir abstürzen, wollte ich es wenigstens nicht sehen.

Doch Fjalar trat nicht daneben. Er schaffte es, und als ich endlich wieder aufzublicken wagte, waren wir auf einer kleinen Lichtung angelangt. Eine hübsche kleine Waldwiese

mit himmelhohen Bergen auf der einen und abgrundtiefen Schluchten auf der anderen Seite.

»Hier ist ein Plätzchen für uns, Fjalar«, sagte ich. »Hier sind wir vor Wölfen sicher.«

Und dies stimmte. Kein Wolf konnte von den Bergen herabgeklettert kommen, sie waren zu hoch. Und kein Wolf konnte aus der Tiefe emporklettern, die Felswände waren zu steil. Wollte er es dennoch versuchen, dann musste er sich schon an den Abgründen entlang auf diesem schmalen, jämmerlichen Pfad seinen Weg suchen. Aber so schlau sind Wölfe wohl nicht, jedenfalls beschloss ich dies zu glauben.

Und dann entdeckte ich etwas wirklich Gutes. Eine tiefe Kluft führte geradewegs in den Berg hinein. Fast hätte man es eine Höhle nennen können, denn große Felsblöcke lagen wie ein Dach darüber. In dieser Grotte würden wir getrost schlafen können und hatten ein Dach über dem Kopf.

Jemand hatte vor mir auf dieser Lichtung gerastet. Die Asche eines Lagerfeuers lag noch da. Ich bekam fast Lust, mir auch ein Feuer zu machen. Aber ich war zu müde. Jetzt wollte ich nichts als schlafen. Ich nahm Fjalar am Zügel und führte ihn in die Höhle. Es war eine tiefe Höhle und ich sagte zu Fjalar: »Hier ist Platz für fünfzehn Pferde.«

Er wieherte leise. Vielleicht sehnte er sich nach seinem Stall. Ich bat ihn um Entschuldigung für alle Strapazen, die ich ihm zugemutet hatte, gab ihm Hafer, klopfte ihm den Hals und sagte ihm zum zweiten Mal Gute Nacht. Dann wickelte ich mich in der dunkelsten Ecke der Höhle in meine Wolldecke, und ehe ich mich auch nur ein bisschen fürchten konnte, schlief ich ein. Wie lange ich geschlafen hatte, weiß ich nicht. Doch plötzlich fuhr ich aus dem Schlaf auf und war hellwach. Ich hörte Stimmen und ich hörte vor meiner Höhle Pferde wiehern.

Sofort überfiel mich wieder das große, wilde Entsetzen. Vielleicht waren die, die dort draußen sprachen, schlimmer als Wölfe – wer konnte es wissen?

»Treib die Pferde in die Höhle, dann haben wir hier mehr Platz«, hörte ich eine Stimme sagen und gleich darauf kamen zwei Pferde zu mir hereingetrottet. Als sie Fjalar bemerkten, wieherten sie und auch Fjalar wieherte, doch dann verstummten sie, vielleicht freundeten sich die drei dort in der Dunkelheit an. Von den Männern draußen schien keiner gemerkt zu haben, dass auch ein fremdes Pferd gewiehert hatte, sie redeten seelenruhig weiter.

Warum waren sie hierher gekommen? Und wer waren sie? Was hatten sie nachts hier oben in den Bergen zu suchen? Ich musste es herausfinden. Dabei klapperten mir die Zähne vor Angst und ich wünschte mich tausend Meilen weit fort. Aber nun war ich einmal hier und ganz in der Nähe befanden sich Menschen, die Freunde sein konnten, aber ebenso gut auch Feinde, und trotz aller Angst musste ich herausbekommen, ob sie das eine oder das andere waren. Also legte ich mich platt auf den Bauch und robbte vorwärts. Auf die Stimmen zu. Der Mond stand jetzt vor der Höhlenöffnung und ein Lichtstreifen fiel genau in mein Versteck, aber ich hielt mich seitlich davon im Dunkeln und kroch sachte, sachte näher an die Stimmen heran.

Die Männer saßen im Mondschein und waren gerade dabei, Feuer zu machen, zwei Männer mit groben Zügen und schwarzen Helmen auf dem Kopf. Zum ersten Mal sah ich Tengils Kundschafter und Soldaten, und glaubt mir, ich wusste, wen ich vor mir hatte. Es gab keinen Zweifel, dies waren zwei der Grausamen, die mit Tengil ausgezogen waren, um Nangijalas grüne Täler zu verwüsten. Ihnen wollte ich nicht in die Hände fallen, lieber sollte mich der Wolf holen!

Ich war ihnen in meiner Dunkelheit so nahe, dass ich jedes Wort verstand, obwohl sie miteinander flüsterten. Sie schienen auf jemanden zornig zu sein, denn der eine sagte: »Wenn er auch diesmal nicht pünktlich kommt, schneide ich ihm die Ohren ab.«

Und da sagte der andere: »Ja, er hat noch allerlei zu lernen. Hier sitzen wir Nacht für Nacht und warten vergeblich und was tut er schon Großes? Brieftauben schießen, schön und gut, aber Tengil verlangt mehr als nur das. Er will Sophia in der Katlahöhle sehen. Bringt der Kerl das nicht zuwege, dann möcht ich nicht in seiner Haut stecken.«

Da begriff ich, von welchem Kerl sie sprachen und auf wen sie warteten – Hubert war es.

Wartet's nur ab, dachte ich. Wartet ab, bis er seinen Wolf gehäutet hat, dann kommt er, bestimmt! Dann taucht der Kerl, der euch Sophia ausliefern soll, dahinten auf dem Pfad auf!

Ich brannte vor Scham. Welche Schande, dass wir im Kirschtal einen Verräter hatten. Und doch wünschte ich mir ihn kommen zu sehen, ja, denn dann hätte ich endlich einen Beweis gehabt. Bisher war es nur ein Verdacht, aber jetzt würde ich den Beweis bekommen und dann konnte ich zu Sophia sagen: »Sorge dafür, dass dieser Hubert verschwindet! Denn sonst ist es bald aus mit dir und uns und dem ganzen Kirschtal!«

Warten ist unheimlich, wenn man auf etwas Unheimliches wartet! Und ein Verräter ist etwas Unheimliches und ich spürte es so stark, dass es mir in den Gliedern kribbelte, während ich dort lag. Ich hatte fast keine Angst mehr vor den beiden Männern am Lagerfeuer, weil ich wusste, dass ich dort, wo sich der Pfad um die Felswand schlängelte, gleich einen Verräter auf seinem Pferd erblicken würde. Mir grauste davor und trotzdem starrte ich mit brennenden Augen dorthin, wo er auftauchen musste.

Die beiden am Lagerfeuer starrten in die gleiche Richtung. Auch sie wussten, von wo er kommen musste. Doch keiner von uns wusste, wann.

Wir warteten, sie an ihrem Feuer und ich platt auf dem Bauch in meiner Höhle. Der Mond war zwar an der Höhlenöffnung vorbeigewandert, aber die Zeit war wohl stehen geblieben. Nichts geschah, wir warteten nur! So lange, dass ich am liebsten aufgesprungen wäre und geschrien hätte, um dieser Warterei ein Ende zu machen, denn mir schien, als warte alles: der Mond und die Berge ringsum. Es war, als halte die ganze unheimliche Mondscheinnacht den Atem an und warte auf den Verräter.

Und dann kam er. Weit hinten auf dem Pfad mitten im klaren Mondschein näherte sich ein Mann zu Pferde, ja, jetzt sah ich ihn genau dort, wo ich wusste, dass er auftauchen würde. Und mich überlief eine Gänsehaut bei seinem Anblick – Hubert, dachte ich, wie kannst du das tun?

Die Augen brannten mir, ich musste sie schließen. Vielleicht tat ich es auch nur, um nichts sehen zu müssen. So lange hatte ich auf diesen Schurken gewartet, und als er endlich kam, konnte ich es nicht über mich bringen, ihm

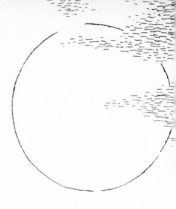

ins Gesicht zu sehen. Darum machte ich die Augen zu. Und hörte nur am dumpfen Aufschlagen der Hufe, wie er näher kam.

Schließlich war er auf der Lichtung angelangt und hielt das Pferd an. Und da öffnete ich die Augen. Denn ich musste doch sehen, wie ein Verräter aussieht, wenn er seine eigenen Leute verrät, ja, ich wollte mit ansehen, wie Hubert das Kirschtal und alle, die dort lebten, verriet.

Aber es war nicht Hubert. Jossi war es. Der Goldhahn.

8

Jossi! Und niemand anders!

Es dauerte eine Weile, bis ich es begriff. Jossi, der so nett und lustig und rotwangig war und der mir Kekse geschenkt und mich getröstet hatte, als ich traurig war – er war der Verräter.

Und jetzt saß er hier nur ein Stückchen von mir entfernt am Feuer mit den beiden Tengilmännern – Veder und Kader nannte er sie – und sollte erklären, warum er nicht früher gekommen war.

»Hubert jagt heute Nacht in den Bergen Wölfe. Vor ihm musste ich mich verstecken, das seht ihr doch ein.«

Veder und Kader schauten trotzdem verdrießlich drein und Jossi fuhr fort: »Diesen Hubert werdet ihr ja hoffentlich nicht vergessen haben! Den solltet ihr genauso wie Sophia in die Katlahöhle stecken, denn er hasst Tengil nicht weniger.«

»Na, dann solltest du etwas unternehmen«, meinte Veder.

»Schließlich bist du unser Mann im Kirschtal – oder etwa nicht?«, fragte Kader.

»Aber gewiss doch, gewiss doch«, beteuerte Jossi.

Er katzbuckelte und ging ihnen um den Bart, aber Veder und Kader mochten ihn nicht, das merkte man. Einen Verräter mag wohl niemand, selbst wenn er einem nützt.

Seine Ohren durfte er immerhin behalten, die schnitten

sie ihm nicht ab. Aber sie taten etwas anderes, sie brannten ihm das Katlazeichen ein.

»Alle Tengilmänner müssen das Katlazeichen tragen, selbst ein Verräter wie du«, sagte Veder. »Damit du beweisen kannst, wer du bist, falls mal ein Kundschafter, der dich nicht kennt, ins Kirschtal kommt.«

»Aber gewiss doch, gewiss doch«, beteuerte Jossi wieder.

Sie befahlen ihm Jacke und Hemd aufzuknöpfen und brannten ihm mit einem Brenneisen, das sie im Feuer erhitzt hatten, das Katlazeichen auf die Brust.

Als ihn das glühende Eisen traf, schrie Jossi auf.

»Ja, fühl nur, wie weh es tut«, sagte Kader. »Jetzt weißt du für alle Zeiten, dass du einer der Unsern bist, selbst als Verräter.«

Von allen Nächten war wohl diese die längste und schwerste Nacht für mich, jedenfalls seit ich in Nangijala war. Und das Schlimmste war vielleicht, Jossis Geprahle mit anhören zu müssen, all das, was er sich zum Verderben des Kirschtals ausgeheckt hatte. Sophia und Hubert werde er bald hinter Schloss und Riegel bringen, versprach er. Alle beide.

»Aber es muss so vor sich gehen, dass niemand merkt, wer dahintersteckt. Wie könnte ich sonst weiterhin euer geheimer Tengilmann im Kirschtal sein?«

Geheim wirst du nicht mehr lange bleiben, dachte ich. Denn hier liegt einer versteckt, der dich entlarven wird, so dass du erbleichen wirst, du rotwangiger Schurke!

Doch dann sagte er noch etwas, dieser Jossi, etwas, das mir fast das Herz sprengen wollte.

»Habt ihr Jonathan Löwenherz schon geschnappt? Oder läuft er noch immer frei im Heckenrosental herum?«

Diese Frage schien den beiden Tengilmännern unangenehm zu sein.

»Wir sind ihm auf der Spur«, sagte Veder. »Hundert Mann suchen ihn Tag und Nacht.«

»Und wir werden ihn finden, und wenn wir jedes einzelne Haus im Heckenrosental durchstöbern müssten«, fügte Kader hinzu. »Tengil wartet schon auf ihn.«

»Das kann ich mir denken«, sagte Jossi. »Der junge Löwenherz ist gefährlicher als jeder andere, ich hab's euch ja gesagt. Er ist wirklich ein Löwe.«

Ich war stolz, dass Jonathan ein solcher Löwe war. Und wie tröstlich zu wissen, dass er lebte! Dann aber, als mir klar wurde, was Jossi getan hatte, kamen mir vor Zorn die Tränen. Er hatte Jonathan verraten. Allein Jossi konnte etwas über Jonathans heimliche Reise ins Heckenrosental herausgeschnüffelt und dann Tengil berichtet haben. Jossis Schuld war es, dass hundert Mann Tag und Nacht nach meinem Bruder suchten und dass sie ihn, wenn sie ihn fanden, Tengil ausliefern würden.

Aber er lebte, ja, er lebte! Und war auf freiem Fuß. Weshalb nur hatte er in meinem Traum um Hilfe gerufen? Ob ich es je erfahren würde?

Im Übrigen aber erfuhr ich eine ganze Menge, während ich dort lag und Jossi zuhörte.

»Dieser Hubert ist auf Sophia eifersüchtig, weil wir sie zum Anführer im Kirschtal gewählt haben«, sagte er. »Jawohl, Hubert bildet sich ein, er ist in allem der Beste.«

Deshalb also! Ich musste daran denken, wie mürrisch Hubert damals gefragt hatte: »Was ist denn so Besonderes an Sophia?«

Soso, er war also eifersüchtig, nichts weiter. Schließlich kann man eifersüchtig und trotzdem ein anständiger Kerl sein. Ich aber hatte mir von vornherein eingebildet, Hubert sei der Verräter im Kirschtal, und alles, was er später gesagt und getan hatte, fügte ich in dieses Muster ein. Dass man sich von anderen so leicht falsche Vorstellungen macht! Der arme Hubert. Er hatte mich behütet, mir das Leben gerettet und mir eine Hammelfiedel geschenkt und als Dank für all das hatte ich geschrien: Töte mich nicht! Kein Wunder, dass er wütend geworden war. Verzeih mir, Hubert, dachte ich, verzeih mir, und das würde ich bestimmt auch zu ihm sagen, wenn ich ihn wiedersah.

Jossi hatte jetzt wieder Mut gefasst, er schien mit sich ganz zufrieden zu sein, während er dort am Feuer hockte. Hin und wieder schmerzte das Katlazeichen wohl noch, denn er stöhnte bisweilen, und jedes Mal sagte Kader:

»Ja, fühl nur, wie es wehtut! Fühl es nur!«

Ich wünschte, ich hätte das Katlazeichen sehen können. Aber sicherlich sah es widerwärtig aus, also konnte ich froh sein, dass ich es nicht zu sehen brauchte.

Jossi brüstete sich noch immer mit allem, was er getan hatte und noch tun wollte, und plötzlich hörte ich ihn sagen: »Löwenherz hat einen kleinen Bruder, den er über alles liebt.«

Da weinte ich still vor mich hin und sehnte mich nach Jonathan.

»Und dieses Bürschchen sollte man vielleicht als Köder benutzen, um Sophia auf den Leim zu locken«, sprach Jossi weiter.

»Du Trottel, warum hast du uns das nicht schon früher

gesagt?«, knurrte Kader. »Einen Bruder, ja, wenn wir den hätten, dann würde dieser Löwenherz schnell aus seinem Versteck hervorkommen. Denn wo er sich auch verkrochen haben mag, bestimmt würde er es auf geheimen Wegen erfahren, wenn wir seinen Bruder schnappen.«

»Ja, damit kriegen wir ihn aus seinem Schlupfwinkel«, sagte Veder. »Gebt meinen Bruder frei und nehmt mich statt seiner, würde er sagen, falls er sich aus seinem Bruder wirklich etwas macht und ihn vor Qualen bewahren will.«

Jetzt konnte ich nicht einmal mehr weinen, solche Angst hatte ich. Jossi aber spielte sich weiter auf und tat sich wer weiß wie wichtig. »Das erledige ich schon, wenn ich nach Hause komme«, sagte er, »Karlchen Löwenherz in eine Falle locken ist nicht schwer, das schaff ich mit ein paar Keksen. Und dann wird Sophia ihn befreien wollen und wir haben auch sie in der Falle.«

»Ist Sophia nicht ein bisschen zu schlau für dich?«, fragte Kader. »Glaubst du wirklich, du kannst sie hereinlegen?«

»Na klar«, sagte Jossi. »Und sie wird nicht mal erfahren, wer dahintersteckt. Denn mir traut sie.«

Jetzt war er so zufrieden mit sich, dass er vergnügt gluckste.

»Dann habt ihr sie und den kleinen Löwenherz obendrein. Wie viele Schimmel wird Tengil mir dafür geben, wenn er ins Kirschtal einzieht?«

Das werden wir ja sehen, dachte ich. Soso, du, Jossi, willst also Karlchen Löwenherz in einen Hinterhalt locken! Doch wenn er gar nicht mehr im Kirschtal ist, was machst du dann?

In all meinem Elend stimmte mich der Gedanke ein bisschen froher, wie verdutzt und enttäuscht Jossi sein würde, wenn ihm zu Ohren kam, dass ich verschwunden war!

Aber da sagte Jossi: »Karlchen Löwenherz ist ein lieber Junge, aber ein Löwe ist er wahrhaftig nicht. Einen furchtsameren Knirps gibt es überhaupt nicht. Hasenherz wäre der richtige Name für ihn.«

Ja, das wusste ich selber. Dass ich niemals auch nur ein bisschen mutig sein konnte und dass ich nicht Löwenherz heißen dürfte wie Jonathan. Aber es war doch schlimm, Jossi dies sagen zu hören. Ich schämte mich und dachte, ich muss, muss doch versuchen ein bisschen mutiger zu werden. Nur nicht gerade jetzt, wo ich so große Angst habe.

Endlich war Jossi fertig. Mit mehr Schurkenstreichen hatte er nicht aufzuwarten. Und darum brach er auf.

»Vor dem Morgengrauen muss ich zu Hause sein«, erklärte er. Und bis zuletzt ermahnten die beiden ihn: »Nun sorg aber dafür, dass die Sache mit Sophia und dem kleinen Bruder klappt!«

»Verlasst euch auf mich«, sagte Jossi. »Aber dem Jungen dürft ihr nichts tun. Um ihn bin ich beinahe ein bisschen besorgt.«

Besten Dank, das habe ich gemerkt, dachte ich.

»Und wenn du wieder mit Nachrichten ins Heckenrosental kommst, denk an die Parole!«, sagte Kader. »Falls du Wert darauf legst, lebend hineinzukommen.«

»*Alle Macht Tengil, dem Befreier!*«, sagte Jossi. »Nein, das präge ich mir Tag und Nacht ein. Und Tengil vergisst hoffentlich nicht, was er mir versprochen hat, wie?«

Er saß schon im Sattel, zum Aufbruch bereit.

»Jossi, Oberster im Kirschtal«, sagte er. »Das hat Tengil mir versprochen und das wird er doch nicht vergessen?«

»Tengil vergisst nie etwas«, antwortete Kader.

Und dann ritt Jossi davon. Er ritt denselben Pfad entlang, den er gekommen war, und Veder und Kader hockten dort und sahen ihm nach.

»Dieser Kerl«, sagte Veder. »Der ist was für Katla, wenn wir erst mit dem Kirschtal fertig sind.«

Er sagte es so, dass einem klar wurde, was es heißt, in Katlas Gewalt zu geraten. Ich wusste von Katla so gut wie nichts und doch schauderte es mich und Jossi tat mir beinahe Leid, obwohl er ein Schurke war.

Das Feuer auf der Lichtung war jetzt niedergebrannt und ich hoffte, auch Veder und Kader würden wegreiten. Ich wünschte so sehr sie verschwinden zu sehen, dass es fast wehtat. Wie eine Maus in der Falle sehnte ich mich danach, freizukommen. Könnte ich nur ihre Pferde aus der Grotte treiben, bevor die beiden sie holten, dann wäre ich vielleicht gerettet, dachte ich, und Veder und Kader würden davonreiten ohne zu ahnen und ohne je zu erfahren, wie leicht sie den kleinen Bruder von Jonathan Löwenherz hätten fangen können.

In diesem Augenblick hörte ich Kader sagen: »Wir legen uns in die Höhle und schlafen erst mal eine Weile.«

Jetzt ist es also aus, dachte ich. Ach, ist ja auch egal, ich kann nicht mehr. Sollen sie mich doch fangen, dann ist wenigstens Schluss, ein für alle Mal!

Aber da sagte Veder: »Wieso erst schlafen? Es ist doch gleich Morgen. Und ich hab genug von diesen Bergen. Ich will zurück ins Heckenrosental.«

Und Kader willigte ein.

»Wie du willst«, sagte er. »Hol die Pferde raus!«

Manchmal, wenn die Gefahr am größten ist, rettet man sich ohne zu überlegen. Ich schnellte zurück und kroch in den dunkelsten Winkel der Höhle, genau wie ein kleines Tier es getan hätte. Ich sah Veder im Eingang auftauchen und im nächsten Augenblick hatte ihn der nachtschwarze Schatten der Grotte verschluckt, ich konnte ihn nicht mehr sehen. Nur hören konnte ich ihn und das war schlimm genug. Er sah mich zwar auch nicht, musste aber eigentlich mein Herz klopfen hören. Wie laut es klopfte, während ich dort lag und darauf wartete, was geschehen würde, wenn Veder drei Pferde statt zwei entdeckte.

Als Veder sich näherte, wieherten sie leise. Alle drei, auch Fjalar. Sein Wiehern hätte ich unter tausend anderen herausgehört. Aber Veder, dieses Rindvieh, merkte keinen Unterschied. Stellt euch vor, er merkte nicht einmal, dass drei Pferde in der Höhle waren. Er trieb die nahe am Eingang stehenden Pferde – es waren ihre beiden eigenen – hinaus und ging selber hinterher.

Sobald ich mit Fjalar allein war, stürzte ich zu ihm und legte ihm die Hand über das Maul. Lieber, guter Fjalar, keinen Laut, flehte ich insgeheim, denn ich wusste, wenn er jetzt wieherte, dann war alles verloren. Und Fjalar war so klug. Er verstand wirklich alles. Die anderen Pferde wieherten draußen. Sie wollten ihm wohl Auf Wiedersehen sagen. Aber Fjalar blieb stumm und antwortete nicht.

Ich sah Veder und Kader aufsitzen, und wie froh ich darüber war, lässt sich nicht beschreiben. Gleich würde ich frei sein, der Mausefalle entwischen können. Glaubte ich.

Denn in diesem Augenblick sagte Veder: »Ich habe meinen Feuerstein vergessen.«

Und er sprang vom Pferd und suchte den Boden rund um das Lagerfeuer ab.

Schließlich sagte er: »Hier ist er nicht. Ich muss ihn in der Höhle verloren haben.«

Und mit Donnergepolter schnappte die Mausefalle wieder zu, denn so geschah es, dass ich gefangen genommen wurde. Veder kam in die Grotte, um nach seinem verflixten Feuerstein zu suchen, und stieß direkt auf Fjalar.

Ich weiß, dass man nicht lügen soll, aber wenn es ums Leben geht, dann muss man es.

Er hatte übrigens harte Fäuste, dieser Veder, noch nie hatte mich einer so unsanft angepackt. Es tat weh und ich wurde wütend, seltsamerweise war meine Wut größer als meine Furcht. Vielleicht log ich deshalb gut.

»Wie lange spionierst du hier schon herum?«, brüllte er, nachdem er mich aus der Höhle gezerrt hatte.

»Seit gestern Abend. Aber ich habe nur geschlafen«, sagte ich und blinzelte im Morgenlicht, als sei ich gerade aufgewacht.

»Geschlafen«, sagte Veder. »Willst du mir weismachen, du hättest nichts gehört? Nicht gehört, wie wir hier am Lagerfeuer gegrölt und gesungen haben? Keine Lüge jetzt!«

Das glaubte er sich listig ausgedacht zu haben, denn sie hatten ja keinen Ton gesungen. Aber ich war noch listiger.

»Doch, kann sein, ein bisschen habe ich gehört, wie ihr gesungen habt«, stotterte ich, so als löge ich, nur um es ihm recht zu machen.

Veder und Kader sahen sich an, jetzt waren sie ganz sicher, dass ich wirklich geschlafen und nichts gehört hatte.

Doch das half mir auch nicht viel weiter.

»Weißt du nicht, dass es bei Todesstrafe verboten ist, diesen Weg zu benutzen?«, fragte Veder.

Ich stellte mich so dumm wie möglich, als hätte ich von nichts eine Ahnung, weder von der Todesstrafe noch von sonst was.

»Ich wollte mir gestern Abend nur den Mond angucken«, murmelte ich.

»Und dafür riskierst du dein Leben, du kleiner Fuchs«, sagte Veder. »Wo bist du überhaupt zu Hause, im Kirschtal oder im Heckenrosental?«

»Im Heckenrosental«, log ich.

Denn im Kirschtal wohnte Karl Löwenherz und ich wollte lieber sterben als ihnen verraten, wer ich war.

»Wer sind deine Eltern?«, fragte Veder.

»Ich wohne bei – bei meinem Großvater«, sagte ich.

»Und wie heißt er?«, fragte Veder.

»Ich nenne ihn nur Großvater«, sagte ich und stellte mich noch dümmer.

»Und wo im Heckenrosental wohnt dein Großvater?«, fragte Veder weiter.

»In – in einem kleinen weißen Haus«, sagte ich, weil ich dachte, die Häuser im Heckenrosental sind wohl auch weiß wie die im Kirschtal.

»Dieses Haus und deinen Großvater musst du uns schon zeigen«, sagte Veder. »Los, sitz auf!«

Und wir ritten los. In diesem Augenblick ging über den Bergen von Nangijala die Sonne auf. Der Himmel flammte wie rotes Feuer und die Berggipfel glühten. Etwas Schöneres, etwas Großartigeres hatte ich noch nie gesehen. Und hätte ich nicht Kader und das schwarze Hinterteil seines Pferdes gerade vor mir gehabt, hätte ich wohl losgejubelt. Aber so tat ich es nicht, nein, wahrhaftig nicht!

Der Pfad wand und schlängelte sich dahin genau wie vorher. Bald aber ging es steil abwärts. Mir wurde klar, dass wir uns jetzt dem Heckenrosental näherten. Dennoch traute ich kaum meinen Augen, als ich es plötzlich unter mir liegen sah: Es war ebenso schön wie das Kirschtal, wie es dort im Morgenlicht mit seinen Häuschen und Gehöften, den grünen Hängen und den blühenden Heckenrosensträuchern vor uns lag. Wahre Dickichte von Heckenrosensträuchern waren es. Von oben sah es wirklich lustig aus, fast wie rosa Schaumkronen auf einem grünen Wellenmeer. Ja, Heckenrosental war der richtige Name für dieses Tal.

Ohne Veder und Kader wäre ich niemals dorthin gelangt. Denn rund um das ganze Heckenrosental lief eine Mauer, eine hohe Mauer. Die Bewohner des Tals hatten sie auf Tengils Befehl errichten müssen, denn er wollte sie als Sklaven für immer in Gefangenschaft halten. Jonathan hatte es mir erzählt, deshalb wusste ich es.

Veder und Kader mussten vergessen haben mich zu fragen, wie es mir gelungen war, aus diesem abgeriegelten Tal herauszukommen, und ich betete zu Gott, dass es ihnen auch nie einfallen möge. Denn was hätte ich antworten sollen? Wie sollte ein Mensch über diese Mauer kommen – noch dazu auf einem Pferd?

Oben auf der Mauer hielten, so weit ich nur sehen konnte, Tengilmänner in schwarzen Helmen und Schwertern und Speeren Wache. Andere bewachten das Tor, denn dort, wo der Pfad aus dem Kirschtal endete, war ein Tor in der Mauer.

Früher waren die Menschen zwischen den Tälern frei hin und her gewandert, jetzt war hier ein geschlossenes Tor und nur Tengils Leute durften hindurch.

Veder pochte mit seinem Schwertknauf an das Tor. Eine kleine Luke öffnete sich und ein riesengroßer Kerl steckte den Kopf heraus.

»Losungswort«, schrie er.

Veder und Kader flüsterten ihm die geheime Parole ins Ohr. Damit ich sie nicht hören sollte. Aber das war ja ganz überflüssig, denn auch ich kannte die Worte – »*Alle Macht Tengil, dem Befreier!*«

Der Mann in der Luke sah mich an und fragte: »Und der da? Was ist das für einer?«

»Das ist ein kleiner Dummkopf, den wir in den Bergen aufgegabelt haben«, antwortete Kader. »Aber vielleicht ist er gar nicht so dumm, denn immerhin hat er sich gestern Abend durch dein Tor schleichen können. Was sagst du dazu, Oberwächter? Ich meine, du solltest deine Leute mal fragen, wie sie abends ihren Wachdienst versehen.«

Der in der Luke wurde böse. Er öffnete das Tor und schimpfte und fluchte und wollte mich nicht durchlassen, nur Veder und Kader.

»In die Katlahöhle mit ihm«, brüllte er. »Da gehört er hin!«

Doch Veder und Kader gaben nicht nach – ich müsse hinein, sagten sie, denn erst solle ich beweisen, dass ich ihnen nichts vorgeschwindelt hätte. Das festzustellen sei ihre Pflicht Tengil gegenüber. Und so ritt ich hinter Veder und Kader durch das Tor.

Dabei dachte ich, wenn ich Jonathan je wiedersehe, dann erzähle ich ihm, wie Veder und Kader mir ins Heckenrosental hineingeholfen haben. Da würde er etwas zu lachen haben!

Aber ich selber lachte nicht. Denn ich wusste, wie schlecht

es um mich bestellt war. Ich musste ein weißes Häuschen mit einem Großvater finden, sonst würde ich in die Katlahöhle kommen.

»Reit voraus und zeig uns den Weg«, befahl Veder. »Wir haben ein ernstes Wörtchen mit deinem Großvater zu reden!«

Ich trieb Fjalar an und schlug einen Weg dicht an der Mauer ein.

Weiße Häuser gab es viele, genau wie daheim im Kirschtal. Ich sah aber keines, auf das ich zu zeigen wagte, weil ich nicht wusste, wer darin wohnte. Ich wagte nicht zu sagen: »Da wohnt Großvater«, denn wenn Veder und Kader hineingegangen wären und es dort nicht einmal einen alten Mann gegeben hätte, geschweige einen, der mein Großvater hätte sein wollen – nicht auszudenken!

Jetzt saß ich wirklich in der Klemme und ich schwitzte vor Angst. Einen Großvater erfinden war leicht gewesen, aber jetzt kam mir meine Schwindelei gar nicht mehr so schlau vor. Überall sah ich Leute bei der Arbeit, aber nirgends einen, der wie ein Großvater aussah, und mir wurde immer jämmerlicher zumute. Überdies war es schrecklich zu sehen, wie es den Menschen im Heckenrosental erging, wie bleich und verhungert und unglücklich sie alle aussahen, wie anders als die Leute im Kirschtal. Aber in unserem Tal gab es ja auch keinen Tengil, der uns nur zur Arbeit anhielt und uns kaum das Nötigste zum Leben ließ.

Ich ritt und ritt. Veder und Kader wurden schon ungeduldig, doch ich ritt immer weiter, als wollte ich bis ans Ende der Welt.

»Ist es noch weit?«, fragte Veder.

»Nein, nicht mehr sehr«, sagte ich, wusste aber weder, was

ich sagte, noch, was ich tat. Ich war ganz von Sinnen vor Angst und wartete nur darauf, in die Katlahöhle geworfen zu werden. Doch da geschah ein Wunder. Glaubt mir oder nicht, aber vor einem weißen Häuschen dicht an der Mauer saß ein alter Mann auf einer Bank und fütterte Tauben. Vielleicht hätte ich mich nicht getraut das zu tun, was ich nun tat, wenn unter all den grauen Tauben nicht auch eine schneeweiße gewesen wäre. Eine einzige!

Tränen traten mir in die Augen, denn solche Tauben hatte ich nur bei Sophia gesehen und davor, lange Zeit davor, ein einziges Mal in einer anderen Welt vor meinem Fenster.

Und jetzt tat ich etwas Unerhörtes: Ich sprang vom Pferd und mit wenigen Sätzen war ich bei dem Alten, schlang ihm die Arme um den Hals und flüsterte in meiner Verzweiflung: »Hilf mir! Rette mich! Sag, dass du mein Großvater bist!«

Ich hatte furchtbare Angst und war ganz sicher, dass er mich wegstoßen würde, wenn er Veder und Kader in ihren schwarzen Helmen hinter mir sah. Weshalb sollte er meinetwegen lügen und vielleicht deshalb in der Katlahöhle landen?

Aber er stieß mich nicht fort. Er hielt mich umfasst und seine Arme waren für mich ein Schutz gegen alles Böse.

»Mein Kleiner«, sagte er so laut, dass Veder und Kader es hören mussten, »wo bist du denn so lange gewesen? Und was hast du angestellt, du unseliges Kind, dass Soldaten dich heimbringen?«

Mein armer Großvater, wie schrecklich er von Veder und Kader gescholten wurde! Sie schnauzten und schimpften und sagten, er solle gefälligst auf seine Enkelkinder aufpassen und sie nicht in den Bergen von Nangijala herumstreunen lassen,

denn sonst hätte er bald keine Enkel mehr und er selber könne etwas erleben, das er nie vergessen würde. Nur dieses eine Mal wollten sie ihn noch laufen lassen, sagten sie schließlich. Und dann ritten sie fort. Bald waren ihre Helme nur noch als schwarze Pünktchen fern im Tal zu erkennen.

Da fing ich an zu weinen. Ich hielt meinen Großvater noch immer umschlungen und weinte und weinte, denn die Nacht war so lang und schwer gewesen und jetzt war sie endlich vorüber. Und mein Großvater ließ mich gewähren. Er wiegte mich in seinen Armen hin und her und ich wünschte, oh, wie sehr wünschte ich mir, er wäre mein richtiger Großvater. Obgleich ich noch immer weinte, versuchte ich es ihm zu sagen.

»Ja, ich will gern dein Großvater sein«, sagte er. »Aber mein Name ist Matthias. Und wie heißt du?«

»Karl Lö…«, begann ich. Doch da verstummte ich. Wie konnte ich nur so wahnsinnig sein, diesen Namen im Heckenrosental zu nennen!

»Lieber Großvater, mein Name ist geheim«, sagte ich. »Nenn mich einfach Krümel!«

»Soso, Krümel«, sagte Matthias und lachte leise. »Na, dann geh jetzt mal in die Küche, Krümel, und warte dort auf mich«, fügte er hinzu. »Ich bring inzwischen dein Pferd in den Stall.« Und ich ging hinein. In eine ärmliche kleine Küche mit nur einem Tisch, einer Holzbank, ein paar Stühlen und einem Herd. Und mit einem großen Schrank an der Wand.

Bald kam Matthias wieder und ich sagte: »So einen großen Schrank haben wir auch in unserer Küche, zu Hause im Kirsch…«

Wieder verstummte ich.

»Zu Hause im Kirschtal«, sagte Matthias. Ich sah ihn ängstlich an – wieder hatte ich etwas gesagt, was ich nicht hätte sagen dürfen.

Mehr sagte Matthias nicht. Er ging zum Fenster und sah hinaus. Lange stand er da und guckte, als wolle er ganz sicher sein, dass niemand in der Nähe war. Schließlich wandte er sich zu mir und sagte leise: »Mit diesem Schrank hat es freilich seine besondere Bewandtnis. Wart, ich zeig es dir!«

Er stemmte die Schulter dagegen und schob den Schrank beiseite. Dahinter in der Wand dicht über dem Fußboden befand sich eine Luke. Er öffnete sie und man sah in einen kleinen Raum, eine winzige Kammer. Jemand lag dort auf dem Fußboden und schlief.

Es war Jonathan.

9

Ein paar Mal in meinem Leben bin ich so froh gewesen, dass ich vor Freude nicht aus noch ein wusste. Einmal, als ich klein war und Jonathan mir zu Weihnachten einen Rodelschlitten geschenkt hatte, für den er lange hatte sparen müssen.

Und dann, als ich nach Nangijala kam und Jonathan unten am Fluss entdeckte. Und dann noch an jenem ersten unvergesslichen Abend auf dem Reiterhof, als ich vor Freude ganz närrisch war. Aber nichts, nichts kommt dem gleich, als ich Jonathan bei Matthias auf dem Fußboden fand, oh, dass man sich so freuen kann! So, dass einem das Herz im Leibe lacht oder wo man sich sonst freut.

Ich rührte Jonathan nicht an. Ich weckte ihn nicht. Ich stieß kein Jubelgeschrei aus oder tat sonst was. Ich legte mich nur ganz still neben ihn und schlief ein.

Wie lange ich geschlafen habe? Ich weiß es nicht. Wahrscheinlich den ganzen Tag. Aber als ich dann aufwachte! Ja, als ich wach geworden war, saß Jonathan neben mir auf dem Fußboden.

Er saß nur lächelnd da und niemand kann so nett aussehen wie Jonathan, wenn er lächelt. Ich hatte befürchtet, es sei ihm vielleicht nicht recht, dass ich gekommen war. Hatte geglaubt, er hätte seinen Hilferuf vielleicht schon vergessen. Doch jetzt sah ich ihm an, dass er genauso froh war wie ich. Und nun musste auch ich lächeln und wir hockten da und guckten uns nur an und sagten eine Weile lang gar nichts.

»Du hast um Hilfe gerufen«, sagte ich schließlich.

Da lächelte Jonathan nicht mehr.

»Warum hast du gerufen?«, fragte ich.

Es musste etwas sein, woran er nicht einmal denken konnte, ohne dass es ihm wehtat. Er schien mir kaum antworten zu wollen, so leise klang es.

»Ich habe Katla gesehen«, sagte er. »Ich habe gesehen, was Katla tut.«

Ich wollte ihn nicht mit Fragen nach Katla quälen und außerdem gab es ja so viel zu berichten, vor allem von Jossi.

Jonathan konnte es kaum glauben. Er wurde ganz blass und weinte beinahe.

»Jossi, nein, nein, nicht Jossi«, sagte er und Tränen traten ihm in die Augen.

Doch dann sprang er auf.

»Das muss Sophia sofort erfahren!«

»Aber wie denn?«, fragte ich.

»Eine von ihren Tauben ist hier«, sagte er. »Bianca, sie fliegt heute Abend zurück.«

Sophias Taube, also doch! Ich erzählte Jonathan, dass ich allein dieser Taube wegen jetzt bei ihm und nicht in der Katlahöhle war.

»Bestimmt ist es ein Wunder«, sagte ich, »dass ich unter allen Häusern hier im Heckenrosental gerade auf das stieß, in dem du bist. Aber hätte ich Bianca nicht gesehen, wäre ich weitergeritten.«

»Danke, dass du draußen gesessen hast, Bianca«, sagte Jonathan. Aber länger konnte er mir nicht zuhören, die Zeit drängte. Er kratzte mit den Nägeln an der Luke, es klang wie Mäusegeraschel.

Gleich darauf öffnete sich die Luke und Matthias schaute herein.

»Und der kleine Krümel schläft immer noch . . .«, begann Matthias, aber Jonathan ließ ihn nicht aussprechen.

»Bitte, hol sofort Bianca«, bat er. »Sie muss losfliegen, sobald es dunkel wird.«

Er erklärte, weshalb, und erzählte Matthias von Jossi. Matthias schüttelte nur den Kopf, wie alte Menschen es tun, wenn sie betrübt sind.

»Jossi! Ich wusste ja, dass es einer aus dem Kirschtal sein muss«, sagte er. »Und seinetwegen sitzt Orwar nun in der Katlahöhle. Mein Gott, was gibt es doch für Menschen!«

Dann schloss er die Luke und ging Bianca holen.

Es war ein gutes Versteck, das Jonathan bei Matthias gefunden hatte. Eine kleine geheime Kammer ohne Fenster und Türen. Nur durch die Luke hinter dem Schrank konnte man hinein- und hinauskommen. Möbel gab es darin nicht, nur eine Matratze zum Schlafen. Und dann eine alte Stalllaterne, die das Dunkel ein wenig erhellte.

Im Schein dieser Laterne schrieb Jonathan eine Botschaft an Sophia: »Der auf ewig verdammte Name des Verräters lautet Jossi, der Goldhahn. Mach ihn rasch unschädlich. Mein Bruder ist jetzt hier.«

»Bianca kam deshalb gestern Abend hergeflogen, um mitzuteilen, dass du fortgeritten bist, um nach mir zu suchen«, sagte Jonathan dann zu mir.

»Also hat Sophia das Rätsel lösen können, das ich an die Küchenwand geschrieben habe, als sie mit der Suppe kam«, sagte ich.

»Welches Rätsel?«, fragte Jonathan.

Ich erzählte ihm, was ich geschrieben hatte. »Damit Sophia sich keine Sorgen macht«, sagte ich.

Da lachte Jonathan.

»Keine Sorgen macht, glaubst du das wirklich? Und ich? Was meinst du wohl, wie sorglos ich war, als ich erfuhr, dass du irgendwo in den Bergen von Nangijala bist.«

Ich muss wohl recht beschämt ausgesehen haben, denn er tröstete mich sofort.

»Mein mutiger kleiner Krümel, es ist ein Glück und ein Segen, dass du in den Bergen gewesen bist. Und ein noch größeres Glück ist es, dass du jetzt hier bist!«

Es war das erste Mal, dass jemand mich mutig nannte, und ich dachte, wenn ich so weitermache, kann ich vielleicht Löwenherz heißen, ohne dass Jossi sich darüber lustig macht.

Dann fiel mir ein, dass ich ja noch mehr an die Küchenwand geschrieben hatte. Etwas von einem Rotbart, der gern Schimmel haben wollte. Darum bat ich Jonathan seiner Botschaft noch eine Zeile hinzuzufügen:

»Das mit Rotbart stimmt nicht, sagt Karl.«

Ich erzählte auch, wie Hubert mich vor den Wölfen gerettet hatte, und Jonathan sagte, dafür werde er ihm sein Leben lang dankbar sein.

Als wir Bianca losschickten, zog die Abenddämmerung über dem Heckenrosental auf und überall in den Häusern und Gehöften am Hang unter uns gingen die Lichter an. Alles sah ruhig und friedlich aus. Man hätte glauben können, dass die Menschen dort drinnen bei einem guten Abendbrot saßen oder miteinander schwatzten, mit ihren Kindern spielten, ihnen Lieder vorsangen und es gemütlich hatten. Aber so war es nicht. Sie hatten kaum etwas zu essen und waren alles andere als froh und glücklich, sie waren tief unglücklich! Tengils Männer mit ihren Schwertern und Speeren oben auf der Mauer brachten es ihnen schon in Erinnerung, falls sie es einen Augenblick vergessen sollten.

In Matthias' Fenster brannte kein Licht. Sein Haus war dunkel und alles war so still, als wohnte dort keine Menschenseele. Aber wir waren da, nicht drinnen im Haus, sondern draußen. Matthias hielt an der Hausecke Wache und Jonathan und ich schlichen mit Bianca im Heckenrosengebüsch umher.

Heckenrosensträucher gab es rund um den ganzen Matthishof. Und ich mag Heckenrosen gern. Sie duften so gut. Nicht stark, nur zart. Doch mir kam der Gedanke: Nie wieder werde ich Heckenrosen riechen können ohne Herz-

klopfen zu bekommen und daran zu denken, wie wir in diesem Gesträuch umherschlichen, Jonathan und ich. So dicht an der Mauer, wo die Tengilmänner horchten und spähten, vor allem nach einem mit dem Namen Löwenherz.

Jonathan hatte sich das Gesicht geschwärzt und eine Kapuze tief über die Augen gezogen. Er sah gar nicht mehr aus wie Jonathan, nein, wirklich nicht. Aber auch so war es noch gefährlich genug für ihn. Jedes Mal, wenn er sein Versteck verließ, konnte es ihn das Leben kosten. Schlupf nannte er dieses Versteck. Hundert Mann fahndeten Tag und Nacht nach ihm, das wusste ich und das hatte ich ihm auch gesagt, doch er meinte nur: »Ja, das können sie meinetwegen gern tun.«

Er selber wollte Bianca losfliegen lassen, hatte er gesagt, um sicher zu sein, dass niemand dabei zusah.

Die Mauerwächter hatten offenbar jeweils ein bestimmtes Stück der Mauer zu bewachen. Ein dicker Kerl trabte die ganze Zeit über oben auf der Mauer dicht hinter dem Matthishof hin und her, vor ihm mussten wir uns besonders in Acht nehmen.

Währenddessen stand Matthias mit der Stalllaterne an der Hausecke. Es war abgemacht, dass er uns Zeichen geben sollte.

»Wenn ich die Laterne tief halte«, hatte Matthias gesagt, »dürft ihr nicht einmal Atem holen, denn dann ist der dicke Dodik ganz nahe. Halte ich aber die Laterne hoch, ist er hinten an der Biegung der Mauer, wo er meistens mit einem Kameraden schwatzt. Das ist der rechte Augenblick, dann lasst Bianca fliegen.«

Und das taten wir.

»Flieg, Bianca, flieg«, flüsterte Jonathan. »Flieg über Nangijalas Berge ins Kirschtal. Und hüte dich vor Jossis Pfeilen!«

Ich weiß nicht, ob Sophias Tauben wirklich die Menschensprache verstanden, glaube aber fast, dass Bianca es tat. Sie hielt den Schnabel dicht an Jonathans Wange, als wolle sie ihn beruhigen, und dann flog sie davon. Sie schimmerte weiß in der Dämmerung, gefährlich weiß. Wie leicht konnte dieser Dodik sie sehen, wenn sie über die Mauer flog.

Doch er sah sie nicht. Wahrscheinlich schwatzte er und hörte und sah nichts. Derweil hielt Matthias Wache und er senkte die Laterne nicht.

Wir sahen Bianca verschwinden und nun zerrte ich an Jonathans Arm, ich wollte ihn so schnell wie möglich wieder in Sicherheit wissen. Aber Jonathan wollte nicht. Noch nicht. Es war ein so herrlicher Abend, die Luft war lau, es atmete sich so leicht. Er hatte wohl keine Lust, wieder in die stickige kleine Kammer zu kriechen. Keiner konnte das besser verstehen als ich: Zu Hause in der Stadt war ich ja auch immer in der Küche eingesperrt gewesen.

Jonathan saß im Gras, hatte die Arme um die Knie geschlungen und sah ins Tal hinunter. Seelenruhig saß er da, man hätte glauben können, er wolle die ganze Nacht dort sitzen bleiben, egal, wie viele Tengilmänner hinter ihm auf der Mauer auf und ab marschierten.

»Warum sitzt du hier?«, fragte ich.

»Weil es mir gefällt«, antwortete Jonathan. »Weil mir das Tal in der Dämmerung gefällt. Und die laue Luft gefällt mir auch. Und die rosa Heckenrosen, die nach Sommer duften.«

»Mir geht es ebenso«, sagte ich.

»Und die Blumen gefallen mir und Gras und Bäume und Wiesen und Wälder und hübsche kleine Seen«, sagte Jonathan. »Und ich liebe es, wenn die Sonne aufgeht und wenn sie untergeht und wenn der Mond scheint und die Sterne leuchten und noch so allerlei anderes, was mir jetzt nicht einfällt.«

»Das mag ich auch alles sehr gern«, sagte ich.

»Das mögen alle Menschen gern«, sagte Jonathan. »Und wenn sie nicht mehr verlangen, kannst du mir dann erklären, warum sie all das nicht ungestört und in Frieden haben dürfen, ohne dass so ein Tengil auftaucht und ihnen alles verdirbt?«

Darauf wusste ich keine Antwort und da sagte Jonathan: »Komm, wir gehen jetzt lieber rein!«

Natürlich konnten wir nicht gleich loslaufen. Erst mussten wir wissen, wie es bei Matthias aussah und wo sich der dicke Dodik befand.

Inzwischen war es ganz dunkel geworden. Matthias war nicht mehr zu erkennen, nur noch das Licht seiner Laterne.

»Er hält sie hoch, kein Dodik da«, sagte Jonathan. »Los, komm!«

Aber gerade als wir losliefen, sank das Licht der Laterne blitzschnell nach unten und wir blieben wie angewurzelt stehen. Wir hörten Pferde herangaloppieren und dann langsamer werden. Und wir hörten, dass jemand mit Matthias sprach.

Jonathan puffte mich in den Rücken.

»Geh hin«, flüsterte er, »geh zu Matthias!«

Er selber warf sich in ein Heckenrosengebüsch und ich ging zitternd und ängstlich auf den Lichtschein zu.

»Ich wollte nur ein bisschen frische Luft schöpfen«, hörte ich Matthias sagen. »Es ist ja ein so schöner Abend.«

»Schöner Abend«, höhnte eine raue Stimme. »Nach Sonnenuntergang darf niemand draußen sein; darauf steht Todesstrafe, weißt du das nicht?«

»Du bist ein ungehorsamer alter Großvater, jawohl«, sagte eine andere Stimme. »Wo ist übrigens der Bengel?«

»Da kommt er gerade«, sagte Matthias, denn jetzt war ich bei ihm angelangt. Die beiden auf den Pferden erkannte ich sofort. Es waren Veder und Kader.

»Na, willst du nicht heute Abend in die Berge und dir den Mondschein angucken?«, fragte Veder. »Wie heißt du eigentlich, du kleiner Schlauberger, hab deinen Namen wohl gar nicht zu hören gekriegt.«

»Ich werde einfach Krümel genannt«, antwortete ich. Das wagte ich zu sagen, denn diesen Namen kannte keiner, Jossi nicht und auch sonst niemand, nur Jonathan, ich und Matthias.

»Krümel, auch ein Name«, sagte Kader. »Na, Krümel, warum sind wir wohl gekommen, was glaubst du?«
Ich spürte, wie mir die Knie weich wurden.
Um mich in die Katlahöhle zu schleppen, dachte ich. Wahrscheinlich tut es ihnen Leid, dass sie mich laufen ließen, und jetzt kommen sie, um mich zu holen. Was sollte ich sonst glauben?

»Ja, siehst du«, sagte Kader, »wir reiten abends umher und kontrollieren, ob die Leute auch tun, was Tengil befohlen hat, ob sie gehorchen. Dein Großvater scheint ein wenig schwer von Begriff zu sein, also erklär du ihm mal, dass es euch schlecht ergehen wird, wenn ihr nach Einbruch der Dunkelheit noch draußen seid.«

»Und vergiss es nicht«, sagte Veder. »Noch mal kommst du uns nicht heil davon, wenn wir dich da finden, wo du nichts zu suchen hast, merk dir das, Krümel! Ob dein Großvater lebt oder stirbt, ist egal. Aber du bist doch noch jung und willst sicher später mal ein Tengilmann werden, nicht?«

Ein Tengilmann, nein, lieber tot, dachte ich, sagte es aber nicht. Ich war in solcher Herzensangst um Jonathan, deshalb wagte ich die beiden nicht zu reizen. Sondern antwortete brav: »Doch, das möchte ich schon.«

»Gut«, sagte Veder. »Dann darfst du auch morgen früh zur großen Landungsbrücke kommen und Tengil, den Befreier des Heckenrosentals, sehen. Er kommt morgen in seiner goldenen Schaluppe über den Fluss der Uralten Flüsse und legt an der großen Brücke an.«

Als sie dann endlich losreiten wollten, hielt Kader sein Pferd im letzten Augenblick zurück.

»Halt mal, Alter«, rief er hinter Matthias her, der gerade ins Haus gehen wollte. »Hast du zufällig einen schönen blonden Jüngling gesehen, der Löwenherz heißt?«

Matthias hielt mich an der Hand und ich spürte, wie er zitterte, aber er antwortete ganz ruhig:

»Ich kenne keinen Löwenherz.«

»So, also nicht«, sagte Kader, »aber wenn er dir mal über den Weg läuft, dann weißt du ja, was dem blüht, der ihn bei sich versteckt. Die Todesstrafe, das weißt du wohl, oder?«

Da machte Matthias die Tür hinter uns zu.

»Rutscht mir doch den Buckel runter mit eurer Todesstrafe!«, sagte er. »Todesstrafe, das ist das Einzige, woran diese
Menschen denken können.«

Das Geklapper der Pferdehufe war kaum verklungen, als
Matthias schon wieder mit der Laterne draußen war. Und
bald kam Jonathan, von Dornen zerkratzt an den Händen
und im Gesicht, aber froh, dass nichts Schlimmeres geschehen und Bianca jetzt auf dem Flug über die Berge war.

Dann aßen wir in Matthias' Küche Abendbrot. Die Luke
stand offen, damit Jonathan geschwind in sein Versteck zu-
rückkonnte, falls jemand kam.

Zunächst aber gingen Jonathan und ich in den Stall und
fütterten unsere Pferde. Es war herrlich, sie wieder zusammen zu sehen. Sie hatten die Köpfe aneinander gelehnt, so
dass man glauben konnte, sie erzählten sich alles, was sie
inzwischen erlebt hatten. Ich schüttete beiden Hafer in die
Krippe. Jonathan wollte mich erst daran hindern, sagte aber
dann:

»Na gut, dieses eine Mal! Denn im Heckenrosental ist der
Hafer nicht mehr für Pferde da.«

In der Küche hatte Matthias eine Schüssel mit Suppe auf
den Tisch gestellt.

»Was anderes haben wir nicht und zum größten Teil be-
steht sie aus Wasser«, sagte er. »Aber es ist wenigstens etwas
Warmes.«

Ich sah mich nach meinem Rucksack um, mir war eingefallen, was ich darin hatte. Als ich den ganzen Brotstapel und
meine Hammelfiedel auspackte, seufzten Jonathan und Matthias auf und ihre Augen leuchteten. Wie es mich freute,

ihnen eine Art Festschmaus vorsetzen zu können. Jonathan
schnitt dicke Scheiben von der Hammelfiedel, dann löffelten
wir die Suppe und aßen dazu Brot und Fleisch, wir aßen und
aßen! Eine ganze Weile sprach keiner ein Wort. Schließlich
sagte Jonathan: »Endlich mal wieder satt! Ich hatte schon
vergessen, was für ein Gefühl das ist.«

Ich wurde immer zufriedener mit mir und fand es immer
besser und richtiger, dass ich ins Heckenrosental gekommen

war. Jetzt konnte ich alles erzählen, was ich erlebt hatte seit dem Morgen, als ich von zu Hause fortgeritten war, bis zu dem Augenblick, als Veder und Kader mir dazu verhalfen, ins Heckenrosental zu kommen. Das meiste hatte ich wohl schon erzählt, aber Jonathan wollte es noch einmal hören. Vor allem das mit Veder und Kader. Darüber lachte er genauso, wie ich es mir vorgestellt hatte. Und Matthias auch.

»Ja, besonders schlau sind sie gerade nicht, diese Tengilmänner«, meinte Matthias. »Auch wenn sie sich dafür halten.«

»Sogar ich hab ihnen was vormachen können«, sagte ich. »Wenn sie das gewusst hätten! Dass sie ausgerechnet diesem kleinen Bruder, den sie so gern schnappen wollen, ins Heckenrosental halfen und ihn laufen ließen.«

Kaum hatte ich das gesagt, wurde ich nachdenklich. Vorher hatte ich überhaupt nicht darüber nachgedacht, erst jetzt fragte ich: »Wie, um alles in der Welt, bist denn du, Jonathan, ins Heckenrosental gekommen?«

Jonathan lachte auf.

»Ich bin reingesprungen«, sagte er.

»Reingesprungen ... wohl nicht etwa mit Grim?«, fragte ich.

»Aber ja«, antwortete Jonathan. »Ein anderes Pferd hab ich doch nicht.«

Ich hatte es ja gesehen, ich wusste, welche Sprünge Jonathan mit Grim machen konnte. Aber dass er über die Mauer in das Heckenrosental gesprungen war, konnte ich kaum glauben.

»Allerdings war die Mauer damals noch nicht ganz fertig«, sagte Jonathan. »Nicht überall. Nicht bis zu ihrer vollen

Höhe. Aber ganz schön hoch war sie schon, das ist mal sicher.«

»Ja, und die Wachen?«, fragte ich. »Hat dich denn keiner gesehen?«

Jonathan biss in sein Brot und lachte.

»Doch, ein ganzer Schwarm war hinter mir her und Grim bekam sogar einen Pfeil ins Hinterteil. Aber ich bin ihnen entwischt und dann hat mich ein guter Bauer in seiner Scheune versteckt und Grim natürlich auch. In der Nacht hat er mich dann zu Matthias gebracht. So, jetzt weißt du alles.«

»Nein, du weißt noch nicht alles!«, fiel Matthias ein. »So weißt du noch nicht, dass die Leute hier Lieder von diesem Ritt und von Jonathan singen. Dass er zu uns gekommen ist, das ist das einzig Erfreuliche, was sich im Heckenrosental ereignet hat, seit Tengil hier eingefallen ist und uns zu Sklaven gemacht hat. ›Jonathan, unser Befreier‹, singen sie, denn er wird das Heckenrosental befreien, daran glauben sie und ich glaube es auch. Jetzt weißt du alles.«

»O nein«, sagte Jonathan. »Noch weißt du nicht, dass es Matthias ist, der den geheimen Kampf im Heckenrosental leitet, seit Orwar in der Katlahöhle sitzt. Sie sollten Matthias Befreier nennen und nicht mich.«

»Nein, ich bin zu alt«, sagte Matthias. »Er hatte ganz Recht, dieser Veder. Ob ich lebe oder sterbe, ist einerlei.«

»So darfst du nicht reden«, sagte ich. »Jetzt bist du doch mein Großvater.«

»Ja, vielleicht muss ich deshalb noch am Leben bleiben. Aber einen Kampf zu leiten, dazu tauge ich nicht mehr. Dazu muss man jung sein.«

Er seufzte.

»Wenn nur Orwar hier wäre! Aber er wird wohl in der Katlahöhle schmachten, bis Katla ihn holt.«

Da sah ich, wie Jonathan blass wurde.

»Das werden wir ja sehen, wen Katla schließlich bekommt«, murmelte er.

Doch dann sagte er: »So, und jetzt an die Arbeit! Ja, das weißt du auch noch nicht, Krümel: Hier in dem Häuschen schlafen wir tagsüber und arbeiten nachts. Komm mit, ich werd's dir zeigen!«

Er kroch vor mir durch die Luke in den Schlupf und dort zeigte er mir etwas. Er schob die Matratze, auf der wir geschlafen hatten, beiseite und hob ein paar lose Dielenbretter hoch. Ich blickte in ein schwarzes Loch, das geradewegs in die Erde führte.

»Hier beginnt mein unterirdischer Gang«, erklärte Jonathan.

»Und wo endet er?«, fragte ich, obwohl ich es mir denken konnte.

»In der Wildnis jenseits der Mauer«, sagte er. »Jedenfalls soll er dort enden, wenn er fertig ist. Noch ein paar Nächte, dann ist es, glaube ich, geschafft.«

Er kroch in das Loch.

»Aber ein Stück muss ich noch graben«, sagte er. »Du kannst dir wohl denken, dass ich nicht unmittelbar vor Dodik auftauchen möchte.«

Dann verschwand er und ich saß lange da und wartete. Als er endlich wiederkam, schob er einen Trog voller Erde vor sich her. Er stemmte ihn zu mir empor und ich schleppte ihn durch die Luke zu Matthias.

»Gute Erde für meinen Acker«, sagte Matthias. »Hätte ich auch noch ein paar Erbsen und Bohnen zum Aussäen, dann wäre bald Schluss mit der Hungersnot.«

»Das glaubst du!«, sagte Jonathan. »Von zehn Bohnen auf deinem Acker nimmt dir Tengil neun weg, hast du das vergessen?«

»Du hast Recht«, sagte Matthias. »Solange Tengil lebt, wird es im Heckenrosental nur Hunger und Not geben.«

Jetzt wollte Matthias hinausschleichen und den Trog auf seinem Acker ausschütten und ich musste mich an der Tür aufstellen und Wache halten. Falls ich auch nur die allergeringste Gefahr witterte, sollte ich pfeifen, hatte Jonathan gesagt. Ein besonderes Liedchen sollte ich pfeifen, eins, das Jonathan mir vor langer Zeit, als wir noch auf der Erde lebten, beigebracht hatte. Wir hatten damals oft gemeinsam gepfiffen. Abends, nachdem wir zu Bett gegangen waren. Also, pfeifen konnte ich.

Jonathan kroch wieder in sein Loch, um weiterzugraben, und Matthias schloss die Luke und schob den Schrank davor.

»Präge es dir gut ein, Krümel«, sagte er. »Nie, niemals darf Jonathan dort drinnen sein, ohne dass die Luke geschlossen und der Schrank vorgeschoben ist. Vergiss nie, dass du in einem Land bist, wo Tengil herrscht.«

»Ich werde es nicht vergessen«, versprach ich.

In der Küche war es dämmrig. Auf dem Tisch stand nur eine einzige Kerze, doch selbst die blies Matthias jetzt aus.

»Die Nacht muss dunkel sein«, sagte er. »Denn es gibt im Heckenrosental zu viele Augen, die sehen wollen, was sie nicht sehen sollen!«

Dann verschwand er mit dem Trog und ich stellte mich an die offene Tür, um Wache zu halten. Und dunkel war es, genau wie Matthias es haben wollte. Dunkel war es in den Häusern und dunkel war der Himmel über dem Heckenrosental. Kein Stern leuchtete und auch kein Mond, alles war schwarz, ich konnte nichts sehen. Dann sehen wohl auch all die Augen, von denen Matthias geredet hatte, nichts, dachte ich und das war ein Trost.

Ich fühlte mich recht verlassen, wie ich dort stand und wartete, und unheimlich war mir auch zumute, Matthias blieb so lange fort. Ich wurde unruhig, wurde immer unruhiger, je mehr Zeit verstrich. Warum kam er denn nicht? Ich starrte in die Finsternis. War es wirklich noch so dunkel? Plötzlich bildete ich mir ein, es sei heller geworden. Oder hatten sich meine Augen nur an die Dunkelheit gewöhnt? In diesem Augenblick brach der Mond zwischen den Wolken hervor. Etwas Schlimmeres konnte gar nicht passieren und ich bat Gott, Matthias möge zurückkommen, solange ihn die Finsternis noch ein wenig schützte. Doch schon war es zu spät. In vollem Glanz stand der Mond am Himmel und eine Flut von Mondlicht ergoss sich über das Tal.

In diesem Licht sah ich Matthias. Schon von weitem sah ich ihn mit seinem Trog zwischen den Heckenrosenbüschen.

Ich schaute aufgeregt umher, ich sollte ja Wache halten. Und da sah ich auch etwas anderes. Dodik, den Fettwanst Dodik, der auf einer Strickleiter, das Hinterteil mir zugewandt, von der Mauer heruntergeklettert kam.

Hat man Angst, fällt einem das Pfeifen schwer, es klang also nicht sonderlich gut. Trotzdem brachte ich die Melodie einigermaßen zustande und schnell wie ein Wiesel huschte Matthias ins nächste Heckenrosengebüsch.

Doch da war Dodik auch schon bei mir. »Weshalb pfeifst du hier?«, brüllte er.

»Weil... weil ich es gerade heute erst gelernt habe«, stotterte ich. »Früher hab ich nämlich nicht pfeifen können und heute konnte ich es mit einem Mal. Willst du es hören?«

Ich fing wieder an, aber Dodik hielt mir den Mund zu.

»Pst, still«, befahl er. »Ich weiß zwar nicht, ob pfeifen verboten ist, aber möglich ist es ja. Ich glaub kaum, dass Tengil damit einverstanden wäre. Außerdem sollst du die Tür geschlossen halten, verstanden?«

»Mag Tengil denn nicht, dass die Tür offen steht?«, fragte ich.

»Das geht dich gar nichts an«, sagte Dodik. »Tu, was ich dir sage. Aber zuerst gib mir eine Kelle Wasser. Ich muss da oben auf der Mauer auf und ab traben, bis ich fast verdurste.«

Blitzschnell überlegte ich: Wenn er jetzt mit in die Küche kommt und Matthias nicht dort findet, was geschieht dann? Der arme Matthias, Todesstrafe für jeden, der nachts draußen ist, das hatte ich nun oft genug gehört.

»Ich hol es dir«, sagte ich rasch. »Bleib hier stehen, ich hole dir Wasser.«

Ich lief hinein und tastete mich in der Dunkelheit bis zur Wassertonne, ich wusste ja, in welcher Ecke sie stand. Auch die Schöpfkelle fand ich und füllte sie mit Wasser. Da merkte ich, dass jemand hinter mir stand, ja, dort im Dunkeln dicht hinter meinem Rücken stand jemand und etwas Unheimlicheres hatte ich kaum erlebt.

»Mach Licht«, befahl Dodik. »Ich möchte mir angucken, wie es in so einem Dreckloch aussieht.«

Mir zitterten die Hände, ich schlotterte am ganzen Leibe, aber schließlich gelang es mir, die Kerze anzuzünden.

Dodik nahm die Schöpfkelle und trank. Er trank und trank, er war wie ein Fass ohne Boden. Dann warf er die Kelle hin und sah sich mit seinen widerlichen Schweinsaugen misstrauisch um. Und dann fragte er genau das, worauf ich schon die ganze Zeit gewartet hatte.

»Dieser alte Matthias, der hier wohnt, wo steckt der denn?«

Ich antwortete nicht. Ich wusste nicht, was ich antworten sollte.

»Hörst du nicht, dass ich dich was frage?«, sagte Dodik. »Wo ist Matthias?«

»Er schläft«, sagte ich. Etwas musste ich mir ja einfallen lassen.

»Wo?«, fragte Dodik.

Neben der Küche lag eine kleine Kammer und darin stand Matthias' Bett, das wusste ich. Ich wusste aber auch, dass er dort jetzt nicht schlief. Trotzdem zeigte ich auf die Kammertür und sagte: »Dort!«

Ich piepste es hervor, so dass es kaum zu hören war. Es klang wirklich jämmerlich und Dodik lachte höhnisch.

»Lügen tust du nicht besonders gut«, sagte er. »Na, dann wollen wir mal nachsehen!«

Er grinste zufrieden, er wusste, dass ich log, und wollte Matthias wohl gern der Todesstrafe ausliefern, vielleicht, um von Tengil gelobt zu werden, was weiß ich.

»Gib mir die Kerze«, sagte er und ich gab sie ihm. Ich wollte wegstürzen, zur Tür hinaus, zu Matthias laufen und ihm sagen, er müsse fliehen, bevor es zu spät sei. Aber ich konnte mich nicht von der Stelle rühren. Ich stand stocksteif da und mir war übel vor Angst.

Dodik merkte es und er genoss es. Er ließ sich Zeit, ja er grinste und zögerte absichtlich, damit ich noch mehr Angst bekam. Doch als er lange genug gegrinst hatte, sagte er: »Los, mein Bürschchen, jetzt zeig mir mal, wo der alte Matthias schläft.«

Er riss die Kammertür auf und stieß mich hinein, so dass ich über die hohe Schwelle stolperte und hinschlug. Gleich darauf zerrte er mich wieder hoch und stand mit der Kerze in der Hand vor mir.

»Du Lügner, zeig ihn mir!«, sagte er und hob die Kerze hoch, um besser sehen zu können.

Ich wagte nicht mich zu rühren und aufzusehen, am liebsten wäre ich in den Boden versunken, oh, wie verzweifelt ich war! Doch da hörte ich Matthias' verärgerte Stimme: »Was ist denn? Kann man nicht mal nachts in Ruhe schlafen?«

Ich blickte auf und sah Matthias, wahrhaftig, er saß dort in seinem Bett im dunkelsten Winkel der Kammer und blinzelte ins Licht.

Er trug nur ein Hemd und sein Haar war zerzaust, als hätte er lange geschlafen. Und gegenüber am offenen Fenster lehnte der Trog an der Wand. War er nicht flink wie ein Wiesel, mein neuer Großvater?

Aber Dodik konnte einem beinahe Leid tun. Noch nie hatte ich jemanden gesehen, der ein so urdummes Gesicht machte wie er, der dort stand und Matthias anglotzte.

»Ich wollte nur einen Schluck Wasser trinken«, brummte er.

»Einen Schluck Wasser, so, das ist ja hübsch«, sagte Matthias. »Du weißt ganz gut, dass Tengil es euch verboten hat, von uns Wasser anzunehmen! Wir könnten euch doch vergiften. Und wenn du mich deshalb noch einmal aufweckst, dann werde ich das auch tun.«

Ich fasste es nicht, wie er es wagte, so etwas zu Dodik zu sagen. Aber vielleicht war es ja der richtige Ton für einen Tengilmann. Denn Dodik grunzte nur und machte, dass er wieder auf seine Mauer kam.

10

Erst als ich Tengil von Karmanjaka erblickte, wusste ich, wie ein wirklich grausamer Mensch aussieht.

Er kam in seiner goldenen Schaluppe über den Fluss der Uralten Flüsse gefahren und ich stand mit Matthias dort und wartete auf ihn.

Jonathan hatte mich hingeschickt. Er wollte, dass ich Tengil sehe.

»Denn dann begreifst du besser, weshalb die Leute hier im Tal schuften und hungern und sterben und dabei nur einen Gedanken und einen Traum haben – ihr Tal wieder frei zu sehen.«

Hoch oben in den Bergen der Uralten Berge lag Tengils Burg. Dort wohnte er. Nur manchmal kam er über den Fluss ins Heckenrosental und er kam nur, um die Menschen in Schrecken zu versetzen, damit keiner vergaß, wer er war, und vielleicht zu viel von Freiheit träumte. Das hatte mir Jonathan erzählt.

Anfangs konnte ich kaum etwas sehen. Vor mir standen so viele Tengilsoldaten. Mehrere Reihen, die Tengil schützen sollten, während er im Heckenrosental war. Wahrscheinlich fürchtete er, dass ein Pfeil aus dem Hinterhalt geflogen kam. Tyrannen haben immer Angst, das hatte Jonathan gesagt. Und Tengil war der schlimmste aller Tyrannen.

Nein, zuerst sah ich fast gar nichts und Matthias auch nicht.

Doch dann kam ich dahinter, wie ich es machen musste. Forsch und breitbeinig standen sie da, diese Tengilmänner. Wenn ich mich hinter einem, der besonders breitbeinig dastand, flach auf den Bauch legte, dann konnte ich zwischen seinen Beinen hindurchgucken.

Aber Matthias konnte ich dazu nicht bewegen.

»Hauptsache, du siehst was«, sagte er. »Und vergiss niemals, was du heute zu sehen bekommst.«

Und ich sah. Ein großes, prächtiges, vergoldetes Boot, das von schwarz gekleideten Männern gerudert wurde und näher kam. Viele Ruder waren es, mehr, als ich zählen konnte, und jedes Mal, wenn die Ruderblätter aus dem Wasser auftauchten, blitzten sie in der Sonne. Die Ruderer mussten hart arbeiten. Eine starke Strömung wollte das Boot fortreißen. Vielleicht war es der Sog durch einen Wasserfall unten am Fluss, dachte ich, denn ich hörte in der Ferne das Rauschen und Tosen von Wassermassen.

»Was du da hörst, ist der Karmafall«, erklärte mir Matthias, als ich ihn fragte. »Das Lied des Karmafalles ist hier im Heckenrosental unser Wiegenlied, ihm lauschen die Kinder, wenn sie schlafen sollen.«

Ich dachte an die Kinder im Heckenrosental. Hier unten am Flussufer waren sie wohl früher umhergetollt und hatten gespielt und im Wasser geplanscht und ihren Spaß gehabt. Jetzt konnten sie es nicht mehr. Wegen der Mauer, dieser trostlosen Mauer, die alles versperrte. Und in dieser ganzen langen Mauer gab es nur zwei Tore, das eine, durch das ich gekommen war – das Große Tor hieß es –, und das andere am

Fluss mit einem Landesteg davor, wo jetzt Tengils Schaluppe vertäut lag. Für Tengil war das Tor gerade geöffnet worden und durch den Torbogen und zwischen ein paar Soldatenbeinen hindurch sah ich die Brücke und darauf Tengils schwarzen Hengst, der dort auf ihn wartete, geschmückt mit einem Sattel, der mit Gold beschlagen war, und Zaumzeug, das von Gold glänzte. Und ich sah Tengil vortreten und sich in den Sattel schwingen und durch das Tor reiten und plötzlich war er ganz in meiner Nähe, so dass ich sein grausames Gesicht und seine grausamen Augen sehen konnte. Grausam wie eine Schlange, hatte Jonathan gesagt und so sah er auch aus, durch und durch grausam und blutrünstig. Und die Rüstung, die er trug, war rot wie Blut und selbst sein Helmbusch war so rot, als hätte er ihn in Blut getaucht. Seine Augen starrten geradeaus, er sah die Menschen nicht, es war, als gäbe es für ihn niemand anders auf der Welt, niemand außer Tengil von Karmanjaka. Ja, er war schrecklich!

Alle im Heckenrosental hatten den Befehl erhalten, sich auf dem Marktplatz einzufinden. Dort wollte Tengil zu ihnen sprechen. Matthias und ich gingen natürlich auch hin.

Es war ein hübscher kleiner Marktplatz mit schönen alten Häusern ringsum. Dort hatte Tengil sie nun, die Menschen aus dem Heckenrosental, genau wie er es befohlen hatte. Schweigend und wartend standen sie da und doch konnte man ihren Gram und ihre Verbitterung spüren! Gerade auf diesem Platz hatten sie sich früher wohl oft zusammen vergnügt. Hier hatten sie an den Sommerabenden sicherlich getanzt und gespielt und gesungen oder vielleicht auch nur auf einer Bank vor dem Wirtshaus gesessen und unter den Linden miteinander geplaudert.

Zwei alte Linden standen dort und dazwischen war Tengil geritten und blieb stehen. Hoch zu Ross saß er dort und starrte über den Markt und die Menschen hinweg und sah nichts und niemanden, davon war ich überzeugt. Neben sich hatte er seinen Ratgeber, einen hochmütigen Kerl, der Pjuke hieß, wie Matthias mir sagte. Pjuke saß auf einem Schimmel, der beinahe ebenso prächtig war wie Tengils Rappe, und sie saßen da auf ihren Pferden und starrten vor sich hin. Lange saßen sie so da. Um sie herum hielten Soldaten Wache, Tengilmänner in schwarzen Helmen und schwarzen Umhängen und mit gezogenen Schwertern. Sie schwitzten, die Sonne stand schon hoch am Himmel und es war ein warmer Tag.

»Was wird Tengil wohl sagen?«, fragte ich Matthias.

»Dass er mit uns unzufrieden ist«, sagte Matthias. »Etwas anderes sagt er nie.«

Er sprach aber gar nicht selber, dieser Tengil. Zu Sklaven sprechen konnte er nicht. Er redete nur mit Pjuke und danach gab Pjuke bekannt, wie unzufrieden Tengil mit den Leuten im Heckenrosental war. Sie arbeiteten schlecht und schützten Tengils Feinde.

»Und Löwenherz ist noch immer nicht gefunden worden«, sagte Pjuke. »Unser gnädiger Fürst ist auch darüber ungehalten.«

»Ja, das versteh ich, das versteh ich«, hörte ich jemanden dicht neben mir murmeln. Es war ein in Lumpen gehüllter armer alter Tropf. Ein Männchen mit zottigem Haar und einem grauen, verfilzten Bart.

»Die Geduld unseres gnädigen Fürsten ist bald am Ende«, sprach Pjuke weiter, »und er wird das Heckenrosental hart und schonungslos strafen.«

»Ja, daran tut er recht, daran tut er recht«, plärrte der Alte neben mir und ich begriff, dass es ein Narr sein musste, einer, der nicht bei Verstand war.

»Aber«, fuhr Pjuke fort, »in seiner großen Güte wartet unser gnädiger Fürst noch eine Weile mit der blutigen Strafe und er hat sogar eine Belohnung ausgesetzt. Zwanzig schöne Schimmel für denjenigen, der Löwenherz fängt.«

»Den Fuchs werd ich mir schnappen«, piepste der Alte und knuffte mich in die Seite. »Zwanzig schöne Schimmel schenkt mir dann unser gnädiger Fürst, hoho, das ist ein guter Preis für so ein Füchslein.«

Ich wurde so zornig, dass ich ihn am liebsten geschlagen hätte. Selbst ein Narr durfte so nicht reden!

»Hast du denn kein einziges Fünkchen Verstand?«, flüsterte ich und da kicherte er nur.

»Nein, hab ich nicht«, sagte er und dabei schaute er mir gerade ins Gesicht und ich sah seine Augen. So schöne, leuchtende Augen hatte nur Jonathan!

Nein, er hatte wirklich kein Fünkchen Verstand! Wie konnte er es nur wagen, sich mitten vor Tengils Nase aufzupflanzen! Freilich, es hatte ihn niemand erkannt. Nicht einmal Matthias. Er erkannte ihn erst, als Jonathan ihm auf die Schulter klopfte und sagte: »Alter Mann, haben wir uns nicht schon mal gesehen?«

Jonathan hatte sich schon immer gern verkleidet. Abends in der Küche hatte er mir oft Theater vorgespielt. Als wir noch auf Erden lebten, meine ich. Er konnte sich ganz unglaublich herausstaffieren und die verrücktesten Späße treiben. Bisweilen hatte ich so über ihn lachen müssen, dass ich Bauchweh bekam.

Aber hier vor Tengil, das war doch zu toll!

»Ich musste doch auch sehen, was hier vorgeht«, flüsterte Jonathan und jetzt lachte er nicht mehr. Es gab ja auch nichts, worüber man lachen konnte. Denn nun mussten sich alle Männer des Heckenrosentals vor Tengil in Reih und Glied aufstellen und mit seinem grausamen Zeigefinger wies er auf diejenigen, die über den Fluss nach Karmanjaka gebracht werden sollten. Ich wusste, was das bedeutete, Jonathan hatte es mir erzählt. Keiner von denen, die Tengil ausgewählt hatte, war je lebend zurückgekehrt. Sie mussten in Karmanjaka als Sklaven arbeiten und Steine für die Festung herbeischleppen, die Tengil hoch oben in den Bergen der Uralten Berge für sich erbauen ließ. Eine Festung sollte es werden, die kein Feind je erobern konnte, und dort würde Tengil in seiner Grausamkeit jahraus, jahrein sitzen und sich endlich sicher fühlen können. Um so eine Festung zu errichten, brauchte man viele Sklaven und sie mussten sich schinden, bis sie tot umfielen.

»Und dann kriegt Katla sie«, hatte Jonathan gesagt. Es schauderte mich trotz des Sonnenscheins, als ich daran dachte. Und doch war für mich Katla nichts weiter als ein abscheulicher Name.

Während Tengil mit dem Finger auf seine Opfer wies, war es auf dem Marktplatz totenstill. Nur ein Vogel im Baum über ihm sang und jubilierte. Er wusste ja nichts von dem, was Tengil dort unter der Linde tat.

Aber dann war da noch das Weinen. Es klang so kläglich, dieses Weinen all der Frauen, die ihre Männer verloren, und all der Kinder, die ihre Väter nie wieder sehen sollten. Übrigens weinten alle. Auch ich.

Tengil aber hörte das Weinen nicht. Er saß dort hoch zu Ross und jedes Mal, wenn er auf jemanden zeigte und damit zum Sterben verurteilte, blitzte der Diamant an seinem Zeigefinger auf. Es war furchtbar, nur mit seinem Zeigefinger verurteilte er Menschen zum Tode!

Einer von denen aber, auf die er wies, musste wohl den Verstand verloren haben, als er seine Kinder weinen hörte. Denn plötzlich brach er aus der Reihe aus, und noch ehe die Soldaten ihn zurückhalten konnten, war er zu Tengil gestürzt.

»Tyrann!«, schrie er. »Einmal musst auch du sterben, hast du daran gedacht?«

Und dann spuckte er Tengil ins Gesicht.

Tengil verzog keine Miene. Er gab nur ein Zeichen mit der Hand und der Soldat, der am nächsten stand, hob sein Schwert. Ich sah es im Sonnenschein aufblitzen, doch im selben Augenblick hatte Jonathan meinen Nacken umfasst und mein Gesicht an seine Brust gedrückt, damit ich es nicht mit ansah.

Aber ich spürte oder vielleicht hörte ich auch, wie es in Jonathans Brust schluchzte. Und auf dem Heimweg weinte er. Das tat er sonst nie.

An diesem Tag herrschte Trauer im Heckenrosental. Alle trauerten. Alle außer Tengils Soldaten. Im Gegenteil: Sie freuten sich wie immer, wenn Tengil ins Heckenrosental kam, denn dann gab er seinen Leuten ein Sauf- und Fressgelage. Kaum war das Blut des Erschlagenen auf dem Marktplatz getrocknet, rollte man Fässer voll Bier heran und briet Schweine am Spieß, so dass der Bratendunst dick über dem Heckenrosental lag, und alle Tengilmänner aßen und tranken und rühmten Tengil, der ihnen so viel Gutes tat.

»Dabei sind es die Schweine des Heckenrosentals, die sie hinunterschlingen, diese Banditen«, sagte Matthias, »und es ist das Bier des Heckenrosentals, das sie saufen.«

Tengil selber nahm an dem Gelage nicht teil. Nachdem er genügend Männer herausgesucht hatte, fuhr er über den Fluss zurück.

»Und wahrscheinlich sitzt er jetzt zufrieden in seiner Burg und glaubt, das Heckenrosental sei vor Entsetzen gelähmt«, sagte Jonathan, als wir heimgingen. »Er bildet sich bestimmt ein, dass es hier nur noch verängstigte Sklaven gibt.«

»Aber da irrt er sich«, sagte Matthias. »Tengil begreift nicht, dass er Menschen, die für ihre Freiheit kämpfen und fest zusammenhalten wie wir, niemals unterdrücken kann.«

Wir kamen an einem von Apfelbäumen umgebenen Häuschen vorbei und Matthias sagte:

»Da wohnte der, den sie vorhin erschlagen haben.«

Auf der Türschwelle saß eine Frau. Ich erkannte sie vom Marktplatz her wieder, ihr Schreien, als Tengil auf ihren Mann wies, klang mir noch in den Ohren. Jetzt hatte sie eine Schere in der Hand und war dabei, ihr langes blondes Haar abzuschneiden.

»Was tust du, Antonia?«, fragte Matthias. »Was machst du mit deinem Haar?«

»Bogensehnen«, sagte Antonia.

Mehr sagte sie nicht. Doch nie werde ich den Ausdruck ihrer Augen vergessen, als sie dies sagte.

Im Heckenrosental werde vieles mit dem Tode bestraft, hatte Jonathan gesagt. Am allergefährlichsten aber war es, Waffen zu besitzen.

Tengils Soldaten durchsuchten Häuser und Gehöfte nach

versteckten Bogen und Schwertern und Speeren. Doch sie fanden nie etwas. Dennoch gab es kein Haus und keinen Hof, wo man nicht Waffen versteckte und Waffen schmiedete für den Kampf, der schließlich kommen musste.

Tengil hatte auch denen, die Waffenverstecke verrieten, als Belohnung Schimmel versprochen.

»Wie einfältig«, sagte Matthias. »Glaubt er wirklich, dass es im Heckenrosental einen einzigen Verräter gibt?«

»Nein, nur im Kirschtal gibt es einen«, sagte Jonathan betrübt. Ich wusste zwar, es war Jonathan, der hier neben mir ging, aber es war schwer zu glauben, so wie er mit seinem Bart und in seinen Lumpen aussah.

»Jossi hat nicht gesehen, was wir an Grausamkeit und Unterdrückung gesehen haben«, sagte Matthias. »Sonst hätte er das, was er getan hat, nie tun können!«

»Was mag wohl Sophia unternehmen?«, fragte Jonathan. »Ob Bianca gut angekommen ist?«

»Das wollen wir von Herzen hoffen«, sagte Matthias. »Und auch, dass Sophia Jossi das Handwerk gelegt hat.«

Als wir zum Matthishof kamen, sahen wir dort Dodik im Gras liegen und mit drei anderen Tengilmännern Würfel spielen. Sie hatten wohl ihren freien Tag, denn sie lagen den ganzen Nachmittag dort zwischen den Heckenrosenbüschen, wir konnten sie vom Küchenfenster aus sehen. Sie würfelten und aßen Speck und tranken Bier, das sie sich kübelweise vom Markt geholt hatten. Nach einiger Zeit wurde ihnen das Würfeln über. Da aßen und tranken sie nur. Schließlich tranken sie nur noch. Und dann taten sie gar nichts mehr und krochen auf allen vieren wie Käfer im Gebüsch herum. Zu guter Letzt schliefen sie ein.

Ihre Helme und Umhänge hatten sie ins Gras geworfen. An einem so warmen Tag war es bestimmt lästig, beim Biertrinken einen dicken Wollmantel zu tragen.

»Wenn Tengil das wüsste, würde er sie prügeln lassen«, sagte Jonathan.

Dann lief er zur Tür hinaus, und ehe ich mich ängstigen konnte, war er schon wieder zurück mit einem Mantel und einem Helm.

»Was willst du denn mit diesem Teufelszeug?«, fragte Matthias.

»Das weiß ich noch nicht«, antwortete Jonathan. »Aber es können Zeiten kommen, wo ich es vielleicht brauche.«

»Es können aber auch Zeiten kommen, wo du dafür eingelocht wirst«, sagte Matthias.

Jonathan riss sich die Lumpen und den Bart herunter, legte den Umhang um und setzte den Helm auf und da stand er und sah genau wie ein Tengilmann aus, es war unheimlich. Matthias schauderte und er flehte ihn an dieses Teufelszeug doch um des Himmels willen im Schlupf zu verstecken.

Und das tat Jonathan.

Dann legten wir uns hin und verschliefen den Rest des Tages, deshalb weiß ich nicht, was passierte, als der Fettwanst Dodik und seine Kumpane aufwachten und merkten, dass ein Helm und ein Mantel verschwunden waren.

Matthias schlief zwar auch, war aber für kurze Zeit wach gewesen und erzählte uns nachher, dass er von draußen aus dem Heckenrosendickicht Schreie und Flüche gehört habe.

In der Nacht arbeiteten wir weiter an dem unterirdischen Gang.

»Noch drei Nächte, mehr nicht«, sagte Jonathan.

»Und was geschieht dann?«, fragte ich.

»Dann geschieht das, weswegen ich hier bin«, sagte Jonathan. »Vielleicht gelingt es nicht, aber versuchen muss ich es. Nämlich Orwar befreien.«

»Nicht ohne mich«, rief ich. »Noch einmal darfst du mich nicht allein lassen! Wo du hingehst, da gehe ich auch hin.«

Er sah mich lange an und dann lächelte er.

»Ja, wenn du es wirklich willst, dann will ich es auch«, sagte er.

11

Tengils Soldaten waren durch den Speck und das Bier wohl angespornt worden und anscheinend wollte sich jeder zwanzig Schimmel verdienen. Jedenfalls suchten sie jetzt wie besessen nach Jonathan. In den nächsten Tagen schnüffelten sie von früh bis spät herum, jedes Haus im Tal, jeder Winkel wurde durchstöbert. Jonathan musste in seinem Schlupf hocken, bis er fast erstickte.

Und Veder und Kader ritten umher und verkündeten überall, dass nach meinem Bruder gefahndet werde. Einmal mischte ich mich unter die Leute und so hörte ich von »Tengils Feind Jonathan Löwenherz, der unerlaubt die Mauer überstiegen hat und sich noch immer an einem unbekannten Ort im Heckenrosental aufhält«. Sie verlasen auch seinen Steckbrief. Er sei »ein bemerkenswert schöner Jüngling mit blondem Haar und dunkelblauen Augen, schlank von Wuchs«.

So hat Jossi ihn wohl beschrieben, dachte ich mir. Und wieder einmal hörte man etwas von Todesstrafe für denjenigen, der Löwenherz schütze, und von einer Belohnung für den, der ihn verrate.

Während Veder und Kader dies überall ausposaunten, kamen viele Menschen zum Matthishof, um Jonathan Lebewohl zu sagen und ihm für all das zu danken, was er für sie getan hatte. Es war wohl weit mehr, als ich wusste.

»Wir werden dich nie vergessen«, sagten sie mit Tränen in den Augen. Sie hatten Brot mitgebracht und schenkten es ihm, obwohl sie selber kaum etwas zu beißen hatten.

»Das brauchst du, denn du hast eine schwierige und gefährliche Reise vor dir«, sagten sie und dann eilten sie fort, um Veder und Kader noch einmal zu hören. Nur zu ihrem Vergnügen.

Auch auf den Matthishof kamen Soldaten. Als sie hereinkamen, kauerte ich völlig verängstigt auf einem Stuhl in der Küche und wagte mich nicht zu mucksen. Doch Matthias war dreist.

»Was schnüffelt ihr hier herum?«, fragte er. »Sucht ihr immer noch diesen Löwenherz? Ich glaube nicht, dass es diesen Löwenherz überhaupt gibt. Den habt ihr euch nur ausgedacht, bloß damit ihr umherziehen und bei den Leuten alles in Unordnung bringen könnt.«

Und genau das taten sie. Sie fingen in der Kammer an. Dort schleuderten sie zuerst alles Bettzeug auf den Fußboden. Dann durchwühlten sie einen Schrank, der dort stand, und holten sogar heraus, was darin war, und das war wirklich dumm. Glaubten sie tatsächlich, Jonathan sei in einem Schrank versteckt?

»Wollt ihr nicht auch im Nachttopf nachsehen?«, fragte Matthias. Doch da wurden sie wütend.

Und dann kamen sie in die Küche. Sie machten sich an den großen Schrank und ich hockte auf meinem Stuhl und fühlte Hass in mir aufsteigen. Gerade an diesem Abend wollten wir doch das Tal verlassen, Jonathan und ich, und ich dachte, wenn sie ihn jetzt finden, dann weiß ich nicht, was ich tue! Etwas so Grausames durfte einfach nicht geschehen, sie durften Jonathan nicht im allerletzten Augenblick hier finden! Matthias hatte den Schrank mit alten Kleidungsstücken und Schafwolle und allerlei Krempel voll gestopft, um jeden Laut aus dem Schlupf zu dämpfen, und diesen ganzen Plunder warfen sie nun auf die Küchendielen.

Und dann! Dann hätte ich am liebsten geschrien, dass das Haus einstürzte, ja, denn einer von ihnen stemmte die Schulter gegen den Schrank, um ihn beiseite zu schieben. Aber es kam kein einziger Schrei aus meiner Kehle. Ich saß wie versteinert auf meinem Stuhl und hasste ihn nur, hasste alles an ihm, seine plumpen Hände und seinen Stiernacken und die Warze, die er auf der Stirn hatte. Ich hasste ihn, weil ich wusste, dass er jetzt gleich die Luke zum Schlupf finden würde, und das bedeutete für Jonathan das Ende.

Aber es kam doch ein Schrei. Von Matthias.

»Es brennt«, schrie er. »Hat Tengil euch etwa befohlen das Haus anzustecken?«

Wie es zugegangen war, wusste ich nicht, jedenfalls war es tatsächlich wahr. Es brannte munter in der Schafwolle auf dem Fußboden und die Soldaten machten sich eilends ans Löschen. Sie trampelten herum und stampften und fluchten und tobten und zuletzt kippten sie die Wassertonne darüber aus. Und das Feuer verlosch, noch ehe es ganz entflammt war. Matthias schimpfte trotzdem weiter und war furchtbar zornig. »Habt ihr denn kein bisschen Grips im Schädel!«, zeterte er. »Wolle neben einen Herd zu werfen! Seht ihr nicht, dass er glüht und dass die Funken stieben?«

Da brauste der mit der Warze auf.

»Halt den Mund, Alter«, schrie er. »Sonst weiß ich verschiedene Mittel, ihn dir zu stopfen!«

Aber Matthias ließ sich nicht einschüchtern.

»Dann räumt jetzt wenigstens auf«, sagte er. »Guckt euch doch an, wie es hier aussieht! Wie in einem Schweinestall!«

Das war die richtige Art, sie loszuwerden.

»Räum deinen Schweinestall gefälligst selber auf, Alter«, sagte der mit der Warze und marschierte als Erster hinaus. Die anderen folgten ihm. Die Tür ließen sie sperrangelweit offen.

»Anstand kennen die nicht«, sagte Matthias.

»Welch Glück, dass es plötzlich brannte«, sagte ich. »Oh, welch ein Glück für Jonathan!«

Matthias blies auf seine Fingerspitzen.

»Ja, so ein kleines Feuerchen kann schon sein Gutes haben«, sagte er. »Nur verbrennt man sich, wenn man mit bloßen Händen glühende Kohle aus dem Herd holt.«

Aber noch waren unsere Sorgen nicht zu Ende.

Sie durchsuchten auch den Stall und kurz darauf kam der mit der Warze zurück und sagte zu Matthias: »Du hast ja zwei Pferde, Alter! Im Heckenrosental darf aber niemand mehr als eins haben, das weißt du! Wir schicken heute Abend einen Mann rüber. Er holt das mit der Blesse, das hast du Tengil abzuliefern.«

»Aber es gehört dem Jungen«, protestierte Matthias.

»Soso! Na, jetzt gehört es Tengil.«

So sprach er, dieser Soldat. Und da fing ich an zu weinen. An diesem Abend wollten Jonathan und ich doch fort! Unser langer unterirdischer Gang war fertig. Und erst jetzt kam mir der Gedanke – wie um alles in der Welt sollten wir denn Grim und Fjalar mitnehmen? Sie konnten ja nicht durch einen unterirdischen Gang kriechen. Was für ein Dummkopf war ich, dass ich nicht früher daran gedacht hatte. Nämlich, dass wir unsere Pferde bei Matthias zurücklassen mussten. War nicht alles schon traurig genug? Musste es noch schlimmer kommen? Tengil sollte Fjalar bekommen! Dass mir nicht das Herz brach, als ich es hörte.

Der mit der Warze zog ein Holzplättchen aus der Tasche und hielt es Matthias vor die Nase.

»Hier«, sagte er. »Hier setzt du dein Namenszeichen hin!«

»Warum denn das?«, fragte Matthias.

»Es bedeutet, dass du Tengil das Pferd mit Freuden gibst.«

»Ich merk aber nichts von solcher Freude«, sagte Matthias.

Aber da ging der Soldat mit blankem Schwert auf ihn los.

»Das tust du doch«, sagte er. »Du freust dich sehr und hier setzt du jetzt dein Namenszeichen hin! Und dieses Holzplättchen gibst du dem, der heute von Karmanjaka rüberkommt und das Pferd abholt. Denn Tengil möchte einen Beweis dafür haben, dass du es ihm freiwillig gibst, verstanden, Alter?« Und bei diesen Worten versetzte er Matthias einen Stoß, so dass er fast gestürzt wäre.

Was konnte Matthias anderes tun? Er schrieb sein Namenszeichen und die Soldaten machten sich davon, um weiter nach Jonathan zu suchen.

Es war unser letzter Abend bei Matthias. Zum letzten Mal saßen wir an seinem Tisch und zum letzten Mal löffelten wir seine Suppe. Wir waren alle drei traurig. Am traurigsten aber war ich. Ich weinte. Wegen Fjalar. Und wegen Matthias. Er war mir ja fast ein Großvater gewesen und nun sollte ich ihn verlassen. Ich weinte auch, weil ich so klein und ängstlich war, dass ich gar nichts tun konnte, wenn Leute wie dieser Soldat meinen Großvater schlecht behandelten.

Jonathan saß schweigend dabei und überlegte. Plötzlich murmelte er: »Wenn ich nur die Losung wüsste!«

»Was für eine Losung?«, fragte ich.

»Wenn man durch das Große Tor will, muss man die Parole sagen können, weißt du das nicht?«, sagte er.

»Doch, das weiß ich«, sagte ich. »Und außerdem weiß ich sogar die Worte: *Alle Macht Tengil, dem Befreier.* Ich habe sie von Jossi gehört, hab ich das nicht erzählt?«

Jonathan starrte mich an. Eine ganze Weile starrte er mich stumm an und dann lachte er.

»Krümel, du gefällst mir«, sagte er. »Weißt du das?«

Ich verstand nicht, weshalb er so froh über die Parole war, er wollte ja gar nicht durch das Große Tor. Aber in all meiner Trübsal wurde auch mir ein wenig froher zumute, weil ich ihn mit so einer Kleinigkeit hatte aufmuntern können.

Matthias war in die Kammer gegangen, um aufzuräumen, und Jonathan ging ihm nach. Dort drinnen sprachen sie leise miteinander. Ich hörte nicht viel, nur dass Jonathan sagte: »Und wenn alles misslingt, dann sorgst du für meinen Bruder, nicht?«

Dann kam er zu mir zurück. »Hör zu, Krümel«, sagte er. »Ich gehe jetzt mit dem Gepäck voraus. Und du wartest so lange bei Matthias, bis ich von mir hören lasse. Es wird eine ganze Zeit dauern, denn ich muss vorher noch etwas erledigen.«

Oh, wie mir das missfiel! Ich habe es nie leiden können, auf Jonathan zu warten. Besonders dann nicht, wenn ich dabei auch noch Angst um ihn hatte, und die hatte ich jetzt. Denn wer konnte wissen, was Jonathan jenseits der Mauer zustieß? Und was hatte er überhaupt vor? Was konnte vielleicht misslingen?

»Du musst nicht solche Angst haben, Krümel«, sagte Jonathan. »Du bist jetzt Karl Löwenherz, vergiss das nicht!«

Dann sagte er Matthias und mir schnell Auf Wiedersehen und kroch in den Schlupf. Wir sahen ihn in seinem unterirdischen Gang verschwinden. Er winkte – das Letzte, was wir von ihm sahen, war seine Hand, die uns zuwinkte.

Und dann waren Matthias und ich allein.

»Der Fettwanst Dodik ahnt nicht, was für ein Maulwurf in diesem Augenblick unter seiner Mauer hindurchkriecht«, sagte Matthias.

»Nein, aber wenn er nun sieht, wie dieser Maulwurf seinen Kopf aus der Erde steckt«, sagte ich. »Dann schickt er seinen Speer hinterher!«

Ich war so traurig, darum schlich ich mich zu Fjalar in den Stall. Ein letztes Mal wollte ich bei ihm Trost suchen. Aber wie sollte er mich trösten können – ich wusste ja, dass ich ihn nach diesem Abend nie wieder sehen würde.

Im Stall war es schummrig. Das Fenster war nur klein und ließ nicht viel Licht herein, aber ich sah doch, wie freudig Fjalar mir den Kopf zuwandte. Ich ging zu ihm in den Stall und legte die Arme um seinen Hals. Ich wollte ihm zu verstehen geben, dass das, was geschehen musste, nicht meine Schuld war.

»Aber vielleicht ist es doch meine Schuld«, sagte ich weinend. »Wenn ich im Kirschtal geblieben wäre, dann würde Tengil dich niemals bekommen. Verzeih mir, Fjalar, verzeih! Aber ich konnte nicht anders.«

Fjalar merkte wohl, dass ich traurig war. Er berührte mit seinem weichen Maul mein Ohr. Mir kam es vor, als wolle er nicht, dass ich weinte. Aber ich weinte doch. Ich stand da bei ihm und weinte und weinte, bis ich keine Tränen mehr hatte. Dann striegelte ich ihn und gab ihm den letzten Hafer. Natürlich musste er diesen Rest mit Grim teilen.

Schreckliche Gedanken fuhren mir durch den Kopf, während ich Fjalar striegelte. Tot soll der umfallen, der mein Pferd holt, dachte ich. Sterben soll er, noch bevor er den Fluss überquert. Ja, es war schrecklich, so etwas zu wünschen, das war es wirklich. Außerdem half es nichts.

Nein, bestimmt ist er schon an Bord der Fähre, dachte ich,

dieser Fähre, mit der sie all ihr Diebesgut hinüberverfrachten. Vielleicht ist er sogar schon an Land gegangen. Vielleicht geht er gerade jetzt durch das Große Tor und kann jeden Augenblick hier sein. O Fjalar, wenn wir beide doch auf und davon könnten, irgendwohin!

In diesem Augenblick öffnete jemand die Stalltür, ich schrie auf vor Angst. Aber es war nur Matthias. Er wollte nachsehen, was ich so lange machte. Ich war froh, dass es im Stall so schummrig war. Er brauchte nicht zu sehen, dass ich schon wieder geweint hatte. Aber er merkte es wohl doch, denn er sagte: »Mein Kleiner, wenn ich dir nur helfen könnte! Aber kein Großvater kann das. Also wein du nur!«

Da sah ich durch das Fenster hinter ihm, wie jemand sich dem Matthishof näherte. Ein Tengilmann! Er wollte Fjalar holen!

»Da kommt er!«, schrie ich. »Matthias, da kommt er schon!«

Fjalar wieherte. Er mochte mein verzweifeltes Schreien nicht hören.

Gleich darauf wurde die Stalltür aufgerissen und dort stand er in seinem schwarzen Helm und seinem schwarzen Mantel.

»Nein«, schrie ich, »nein, nein!«

Doch da war er schon bei mir und schlang die Arme um mich.

Jonathan tat dies. Er war es!

»Erkennst du deinen eigenen Bruder nicht?«, fragte er, als ich mich sträubte, und er zog mich ans Fenster, damit ich ihm ins Gesicht sehen konnte. Trotzdem konnte ich kaum glauben, dass es Jonathan war. Er war nicht wiederzuerkennen. Denn er war so hässlich. Noch hässlicher als ich und alles andere als ein »bemerkenswert schöner Jüngling«. Sein Haar hing nass und strähnig herab und schimmerte nicht mehr wie Gold und unter die Oberlippe hatte er sich einen Priem geschoben. Ich hätte nie gedacht, dass so wenig einen Menschen so hässlich machen kann. Er sah richtig blöd aus. Hätte die Zeit nicht so gedrängt, hätte ich losgelacht. Aber er hatte keine Minute zu verlieren.

»Schnell, schnell«, sagte Jonathan. »Ich muss fort! Der Kerl aus Karmanjaka kann jeden Augenblick hier sein!«

Er streckte Matthias die Hand hin.

»Gib mir das Plättchen«, sagte er. »Denn bestimmt gibst du doch Tengil beide Pferde mit Freuden?«

»Ja, was denn sonst?«, sagte Matthias und drückte ihm das Holzplättchen in die Hand.

Jonathan steckte es in die Tasche.

»Das zeige ich am Tor vor«, sagte er. »Dann sieht der Oberbewacher, dass ich nicht lüge.«

Alles ging sehr schnell. Wir sattelten die Pferde in Windeseile. Währenddessen konnte Jonathan noch rasch berichten, wie er durch das Große Tor hereingekommen war.

»Es war ganz einfach«, sagte Jonathan. »Ich gab das Losungswort, genau wie ich es von Krümel gelernt hatte – *Alle Macht Tengil, dem Befreier* –, und da fragte der Oberbewacher: ›Woher kommst du, wohin gehst du und wie lautet dein Auftrag?‹ – ›Von Karmanjaka zum Matthishof, um zwei Pferde für Tengil abzuholen‹, antwortete ich. ›Passieren‹, rief er. ›Danke‹, sagte ich. Und da bin ich also. Aber ich muss zum Tor hinaus, bevor der nächste Tengilmann hereinwill, denn sonst wird es heikel.«

Wir schafften die Pferde schneller aus dem Stall, als sich

sagen lässt, und Jonathan packte Grims Sattel und saß auf. Fjalar nahm er beim Zügel.

»Gib gut auf dich Acht, Matthias«, sagte er. »Also, bis wir uns wiedersehen!«

Und dann ritt er mit den beiden Pferden davon. So ohne weiteres!

»Ja, aber ich«, schrie ich. »Was ist mit mir?«

Jonathan winkte mir zu.

»Das sagt dir Matthias«, rief er.

Und da stand ich und starrte ihm nach und kam mir ganz dumm vor. Aber Matthias erklärte es mir.

»Du kannst dir doch denken, dass sie dich nie im Leben durch das Große Tor gelassen hätten«, sagte er. »Du musst durch den Gang kriechen, sobald es dunkel ist. Jonathan erwartet dich auf der anderen Seite.«

»Ist das sicher?«, fragte ich. »Und wenn ihm im letzten Augenblick etwas zustößt?«

Matthias seufzte.

»Nichts ist sicher in einer Welt, in der Tengil lebt«, antwortete er. »Aber wenn wirklich alles misslingen sollte, dann kehrst du um und bleibst bei mir.«

Ich versuchte mir alles vorzustellen. Zuerst musste ich also ganz allein durch den Gang kriechen. Schon das war schrecklich. Dann würde ich jenseits der Mauer im Wald rauskommen und dort vielleicht keinen Jonathan vorfinden. Ich würde im Dunkeln hocken und warten und warten und schließlich begreifen, dass alles schief gegangen war. Und dann musste ich wieder zurückkriechen. Und ohne Jonathan leben!

Wir standen vor dem Stall, der nun leer war. Und plötzlich fiel mir etwas ganz anderes ein.

»Aber, Matthias, was wird mit dir, wenn der aus Karmanjaka kommt und kein Pferd im Stall findet?«

»Aber natürlich steht da ein Pferd«, sagte Matthias. »Denn jetzt lauf ich schnell zum Nachbarhof und hole mein eigenes Pferd zurück. Dort hatte ich es nämlich untergestellt, solange Grim in meinem Stall stand.«

»Dann nimmt er dir doch dein Pferd weg«, sagte ich.

»Das soll er nur versuchen!«, sagte Matthias.

Matthias brachte sein Pferd in letzter Minute heim. Kaum stand es im Stall, erschien der Mann, der Fjalar holen sollte. Und er brüllte und krakeelte und schimpfte wie alle Tengilmänner. Weil nur ein Pferd im Stall stand und weil Matthias es nicht hergeben wollte.

»Nein, du!«, sagte Matthias. »Ein Pferd darf jeder haben, das weißt du ganz genau. Und das andere habt ihr, verflixt noch mal, schon abgeholt und dafür mein Namenszeichen bekommen. Ist es etwa meine Schuld, dass ihr alles durcheinander bringt und der eine Holzkopf nicht weiß, was der andere tut?«

Manche Tengilmänner wurden wütend, wenn Matthias dreist zu ihnen war, andere wurden nachgiebig, doch dieser, der Fjalar abholen sollte, war völlig verdattert.

»Dann muss wohl ein Irrtum passiert sein«, sagte er und trottete davon wie ein begossener Pudel.

»Matthias, hast du denn niemals Angst?«, fragte ich, als der Mann fort war.

»Aber sicher habe ich Angst«, antwortete Matthias. »Fühl mal, wie mein Herz klopft.« Und er nahm meine Hand und legte sie sich auf die Brust. »Alle haben wir Angst, nur darf man es manchmal nicht zeigen.«

Dann kamen der Abend und die Dunkelheit. Nun wurde es Zeit für mich, das Heckenrosental zu verlassen. Und Matthias. »Leb wohl, mein Junge«, sagte Matthias. »Vergiss deinen Großvater nicht!«

»Nein, nie, niemals werde ich dich vergessen«, sagte ich.

Und dann war ich allein unter der Erde. Ich kroch durch den langen, finsteren Gang und die ganze Zeit über sprach ich mit mir selber, um mich zu beruhigen und keine Angst zu bekommen.

»Nein, es macht nichts, dass es stockfinster ist . . . Nein, du erstickst ganz bestimmt nicht . . . Ja, ein wenig Erde rieselt dir in den Nacken, aber das bedeutet nicht, dass der ganze Gang einstürzt, du Dummkopf! Nein, nein, Dodik kann dich nicht sehen, wenn du rauskriechst, er ist ja schließlich keine Katze, die im Dunkeln sieht. Aber gewiss, Jonathan ist ganz sicher

da und wartet auf dich, ja, das tut er, du hörst doch, was ich sage. Er ist da. Er ist da!«

Und er war da. Er saß im Dunkeln auf einem Stein und ein Stückchen von ihm entfernt standen Grim und Fjalar unter einem Baum.

»Na also, Karl Löwenherz«, sagte er, »da bist du ja endlich!«

12

Wir schliefen diese Nacht unter einer Tanne und früh im Morgengrauen wachten wir auf. Und froren. Jedenfalls fror ich. Zwischen den Bäumen lag Nebel und Grim und Fjalar waren kaum zu sehen. Wie graue Gespensterpferde tauchten sie aus all dem Grau und der Stille ringsum auf. Ganz still war es. Und irgendwie traurig. Ich weiß nicht, warum mir alles so traurig und einsam und beängstigend vorkam, als ich an diesem Morgen erwachte. Ich weiß nur, dass ich mich in Matthias' warme Küche zurücksehnte und mich vor dem fürchtete, was uns erwartete. Vor allem, was ich noch nicht kannte.

Ich bemühte mich Jonathan nicht merken zu lassen, wie mir zumute war. Denn wer weiß, vielleicht hätte er mich wieder zurückgeschickt und ich wollte doch bei ihm sein in allen Gefahren, wie groß sie auch sein mochten.

Jonathan sah mich an und lächelte.

»Mach nicht so ein ängstliches Gesicht, Krümel«, sagte er. »Das ist noch gar nichts. Es wird noch viel schlimmer!«

Na, das war ein schöner Trost! Plötzlich aber brach die Sonne durch und der Nebel verschwand. Die Vögel im Wald begannen zu singen, alle Traurigkeit und Verzagtheit verflog und alle Gefahren erschienen mir nicht mehr so gefährlich. Und warm wurde mir auch. Die Sonne wärmte bereits. Alles sah besser aus, fast gut. Auch Grim und Fjalar ging es wohl gut. Sie brauchten nicht länger im dunklen Stall zu stehen und konnten auf der Wiese saftiges grünes Gras fressen. Das gefiel ihnen sicherlich sehr.

Aber nun pfiff Jonathan sie herbei, es war nur ein leiser Pfiff, doch sie hörten ihn und kamen herangetrabt.

Jonathan wollte jetzt fort. Weit fort! Gleich!

»Denn dicht hinter uns im Haselgestrüpp ist die Mauer«, sagte er. »Und ich habe keine Lust, plötzlich Dodik gegenüberzustehen.«

Unser unterirdischer Gang endete zwischen zwei Haselsträuchern neben uns. Doch die Öffnung war nicht zu sehen, Jonathan hatte sie mit Zweigen und Reisig zugedeckt. Er markierte die Stelle mit ein paar Stecken.

»Merk dir, wie es hier aussieht«, sagte er. »Merk dir den großen Stein da und die Tanne, unter der wir geschlafen haben, und auch die Haselsträucher. Vielleicht kehren wir noch einmal hierher zurück. Wenn nicht...«

Er brach ab und verstummte. Und schweigend saßen wir auf und ritten davon.

Kurz darauf kam eine Taube über die Baumwipfel geflogen. Eine von Sophias weißen Tauben.

»Das ist Paloma«, sagte Jonathan, obwohl es nicht zu begreifen war, dass er sie auf so weite Entfernung erkennen konnte.

Wir hatten lange auf Nachricht von Sophia gewartet. Endlich kam ihre Taube, jetzt, als wir schon jenseits der Mauer waren. Sie flog schnurgerade zum Matthishof. Bald würde sie sich am Taubenschlag vor dem Stall niederlassen, aber nur Matthias würde dort sein und ihre Botschaft lesen.

Das grämte Jonathan.

»Hätte diese Taube nicht gestern kommen können?«, sagte er. »Dann wüsste ich jetzt, was ich wissen will.«

Aber wir mussten fort, weit fort vom Heckenrosental und der Mauer und all den Tengilmännern, die Jonathan jagten.

Auf einem Umweg durch den Wald wollten wir zum Fluss hinunter und dann am Ufer entlang zum Karmafall reiten.

»Und da, mein kleiner Karl«, sagte Jonathan, »wirst du einen Wasserfall zu sehen bekommen, wie du ihn dir nie hast träumen lassen.«

»Nie hab träumen lassen!«, sagte ich. »Ich habe überhaupt noch keinen Wasserfall zu sehen gekriegt.«

Viel hatte ich wirklich nicht gesehen, bevor ich nach Nangijala gekommen war. Auch noch keinen Wald wie den, durch den wir jetzt ritten. Es war ein richtiger Märchenwald, finster und dicht, da gab es keine gebahnten Wege. Man ritt einfach zwischen den Bäumen hindurch, deren nasse Zweige einem ins Gesicht schlugen. Mir gefiel es trotzdem. Alles – das Sonnenlicht zwischen den Stämmen hindurchsickern zu sehen, die Vögel zwitschern zu hören und den Geruch von nassen Bäumen und feuchtem Gras und von den Pferden einzuatmen. Das Schönste aber war, dass ich hier mit Jonathan ritt.

Die Luft im Wald war frisch und kühl, aber je länger wir ritten, desto wärmer wurde es. Es würde ein heißer Tag werden, das war schon jetzt zu spüren.

Bald hatten wir das Heckenrosental weit hinter uns gelassen und waren im tiefen Wald. Und dort auf einer Lich-

tung mit hohen Bäumen ringsum stießen wir auf eine kleine graue Hütte. Mitten im finsteren Wald, wie konnte man so einsam hausen! Aber jemand wohnte dort. Aus dem Schornstein stieg Rauch und vor der Hütte stelzten ein paar Ziegen umher.

»Hier wohnt Elfrida«, sagte Jonathan. »Sie gibt uns bestimmt ein wenig Ziegenmilch, wenn wir sie darum bitten.«

Und wir bekamen Milch, so viel wir wollten, und das tat gut, denn wir waren lange geritten und hatten noch nichts gegessen. Wir saßen auf den Stufen vor der Tür und tranken Elfridas Ziegenmilch und aßen von dem Brot, das wir in unseren Rucksäcken hatten, und dazu Ziegenkäse, den Elfrida uns gab, und jeder bekam noch eine Hand voll Walderdbee-

157

ren, die ich im Wald für uns pflückte. Alles schmeckte gut und satt wurden wir auch.

Elfrida war eine gutherzige, rundliche kleine Alte, die dort ganz allein mit ihren Ziegen und einer grauen Katze wohnte.

»Ja, Gott sei Dank, ich wohne nicht hinter Mauern«, sagte sie.

Sie kannte viele Menschen im Heckenrosental und erkundigte sich, ob sie noch lebten. Jonathan musste erzählen. Er war traurig dabei, denn das meiste, was er berichtete, musste der alten Elfrida wehtun.

»Dass es den Menschen im Heckenrosental so erbärmlich geht!«, sagte Elfrida. »Verflucht sei Tengil! Und verflucht sei Katla! Alles wäre erträglich, wenn er nur nicht Katla hätte!«

Sie schlug die Schürze vor die Augen, sicherlich weinte sie.

Ich konnte es nicht mit ansehen und ging deshalb in den Wald, um noch mehr Erdbeeren zu suchen. Jonathan aber blieb bei Elfrida und sprach noch lange mit ihr.

Während ich Erdbeeren pflückte, grübelte ich. Wer war Katla? Und wo war Katla? Wann würde ich es erfahren?

Mit der Zeit gelangten wir an den Fluss. Es war während der schlimmsten Mittagshitze. Wie eine Feuerkugel stand die Sonne am Himmel und auch das Wasser glitzerte und blinkte wie von tausend kleinen Sonnen. Wir standen oben auf dem Hochufer und sahen den Fluss tief unter uns. Welch ein Anblick! Der Fluss der Uralten Flüsse raste auf den Karmafall zu, dass der Gischt nur so sprühte; mit seinen gewaltigen Wassermassen brauste der Fluss dahin und wir hörten in der Ferne den Fall tosen.

Wir wollten zum Fluss hinunter, um uns abzukühlen. Grim und Fjalar ließen wir im Wald herumlaufen und sich einen Bach zum Trinken suchen. Wir aber wollten im Fluss baden. Wir liefen die Böschung hinab und rissen uns schon im Laufen die Kleider vom Leib. Unten am Ufersaum wuchsen Weiden. Ein Baum reckte seinen Stamm weit über den Fluss, so dass die Äste ins Wasser hingen. Wir kletterten auf den Stamm und Jonathan zeigte mir, wie ich mich an einen Ast festklammern und in das wirbelnde Wasser tauchen konnte.

»Aber halt dich fest«, sagte er, »sonst kommst du schneller zum Karmafall, als dir lieb ist.«

Und ich klammerte mich so fest, dass meine Knöchel weiß wurden, schaukelte an dem Ast und ließ das Wasser über mich hinwegspülen. Herrlicher habe ich wohl nie gebadet und auch nicht gefährlicher. Ich spürte den Sog des Karmafalles am ganzen Körper.

Dann zog ich mich wieder auf den Stamm hoch, Jonathan half mir dabei und danach hockten wir in der Baumkrone wie in einem grünen Haus, das über dem Wasser schwebt. Der Fluss hüpfte und tollte gerade unter uns. Er wollte uns wohl wieder hinunterlocken und uns glauben machen, er sei gar nicht so gefährlich. Aber ich brauchte nur die Zehen einzutauchen, dann spürte ich diesen Sog, der mich mitreißen wollte.

Wie wir da so saßen, blickte ich zufällig die Böschung hinauf und erschrak. Dort oben kamen Reiter, Tengilsoldaten mit langen Speeren. Sie kamen im Galopp, aber wir hörten sie nicht, denn das Rauschen des Wassers übertönte das Klappern der Hufe.

Auch Jonathan hatte sie entdeckt, dennoch war ihm keine Furcht anzumerken. Schweigend warteten wir, dass sie vorbeiritten. Aber sie ritten nicht vorbei. Sie hielten an und saßen ab, vielleicht um zu rasten oder aus einem anderen Grund.

Ich fragte Jonathan: »Glaubst du, dass sie hinter dir her sind?«

»Nein«, sagte Jonathan. »Sie kommen aus Karmanjaka und wollen ins Heckenrosental. Am Karmafall führt eine Hängebrücke über den Fluss. Tengil schickt seine Soldaten meistens diesen Weg.«

»Aber sie brauchen ja nicht gerade hier zu halten«, sagte ich.

Darin gab Jonathan mir Recht.

»Nein, ich möchte wirklich nicht, dass sie mich zu sehen bekommen und Appetit auf Löwenherz kriegen«, sagte er.

Sechs Mann zählte ich oben auf dem Steilhang. Sie redeten aufgeregt über irgendetwas und zeigten auf das Wasser, aber man konnte sie nicht hören. Plötzlich machte sich einer von ihnen daran, sein Pferd die Böschung hinunter zum Fluss zu treiben. Er kam geradewegs auf uns zugeritten und ich war heilfroh, dass wir in der Baumkrone so gut versteckt saßen.

Die anderen schrien ihm nach: »Lass das, Pärk! Du ersäufst mitsamt dem Gaul!«

Doch er – den sie Pärk nannten – lachte nur und schrie zurück: »Ich werd's euch zeigen! Komm ich nicht lebend zur Klippe und wieder zurück, dann spendier ich 'ne Lage Bier, Ehrenwort!«

Uns wurde klar, was er vorhatte.

Draußen im Fluss lag eine Klippe. Die Strömung brach sich daran und nur ein Stück davon war über Wasser sichtbar. Pärk hatte sie wohl im Vorüberreiten gesehen und wollte sich nun wichtig tun.

»Dieser Einfaltspinsel!«, sagte Jonathan. »Glaubt er wirklich, das Pferd kann bis dorthin gegen den Strom schwimmen?«

Aber schon hatte Pärk Helm, Umhang und Stiefel abgelegt und saß nur in Hemd und Hose auf dem Pferderücken. Jetzt wollte er das Pferd in den Fluss zwingen, eine hübsche kleine schwarze Stute war es. Pärk schrie und tobte und trieb sie an, doch die Stute wollte nicht. Sie hatte Angst und da schlug er sie. Eine Reitpeitsche hatte er nicht. Er schlug ihr mit geballten Fäusten auf den Kopf und ich hörte Jonathan aufschluchzen, genau wie damals auf dem Marktplatz.

Schließlich setzte Pärk seinen Willen durch. Die Stute wieherte und war ganz außer sich vor Angst, stürzte sich aber, nur weil dieser Wahnsinnige es wollte, in den Fluss. Es war schrecklich, mit anzusehen, wie sie kämpfte, als die Strömung sie ergriff.

»Sie wird abgetrieben werden, gerade auf uns zu«, sagte Jonathan. »Pärk kann tun, was er will – bis zur Klippe kriegt er sie nie!«

Selbst Pärk begriff endlich, dass es sein Leben galt. Nun wollte er zurück ans Ufer, merkte aber bald, dass es nicht ging. Nein, denn die Strömung wollte nicht wie er! Sie wollte ihn in den Karmafall zwingen und das verdiente er auch. Aber die Stute tat mir so Leid. Sie war völlig hilflos. Jetzt kamen Ross und Reiter auf uns zugetrieben, genau wie

Jonathan es vorausgesagt hatte, gleich würden sie an uns vorbeigleiten und verschwinden. Ich sah den Schrecken in Pärks Augen, er wusste, wohin er trieb.

Ich drehte mich zu Jonathan um und schrie auf. Er hing baumelnd über dem Wasser, so weit draußen, wie es nur möglich war. Mit dem Kopf nach unten, die Beine um den Baumstamm geschlungen, hing er da und in der Sekunde, als Pärk unter ihm war, packte er ihn an den Haaren und zog ihn hoch, so dass er an einem Ast Halt finden konnte.

Dann rief er die Stute: »Komm, mein Pferdchen, komm her!« Sie war schon vorbeigetrieben, machte nun aber einen verzweifelten Versuch, zu ihm zu kommen. Obwohl sie nicht mehr diesen Tölpel Pärk auf dem Rücken trug, war sie nahe daran, zu versinken. Aber irgendwie gelang es Jonathan, ihren Zügel zu fassen, und er zog aus Leibeskräften. Es wurde ein Ringen auf Leben und Tod, denn der Fluss wollte sein Opfer nicht freigeben, er wollte die Stute und wollte auch Jonathan.

Ich geriet ganz außer mir und schrie Pärk an: »Hilf doch, du Ochse, hilf doch mit!«

Er war inzwischen auf den Baum gekrochen und saß dort sicher und gut und dicht neben Jonathan, aber das Einzige, was dieses Rindvieh tat, war, dass er sich vorbeugte und brüllte:

»Lass den Gaul doch los! Oben im Wald streunen zwei andere herum, davon nehm ich mir einen! Lass einfach los!«

Der Zorn verleiht einem Kräfte, das hatte ich schon immer gehört, und so kann man vielleicht sagen, dass Pärk Jonathan doch half die Stute an Land zu ziehen.

Aber danach fauchte er Pärk an: »Du Hornochse, glaubst du, ich rette dir das Leben, damit du mir mein Pferd stiehlst? Schämst du dich nicht?«

Vielleicht schämte sich Pärk, ich weiß es nicht. Er sagte kein Wort, fragte auch nicht, wer wir seien oder sonst was. Er stapfte mit seiner armen Stute einfach davon, mühsam den Hang hinauf, und bald darauf war er mit dem ganzen Trupp verschwunden.

Am Abend machten wir uns oberhalb des Karmafalles ein Lagerfeuer. Und ich bin sicher, dass zu keiner Zeit und in keinem Land je ein Feuer auf einem Lagerplatz gebrannt hat, das unserem glich.

Es war ein fürchterlicher Platz, schrecklich und schön wie kein anderer im Himmel oder auf Erden, glaub ich. Die Berge und der Fluss und der Wasserfall, alles war so riesig und überwältigend. Wieder war mir wie in einem Traum und ich sagte zu Jonathan: »Glaube nicht, dass dies Wirklichkeit ist! Es muss ein Stück aus einem Urzeittraum sein, ganz bestimmt!«

Wir standen auf der Brücke, dieser Hängebrücke, die Tengil über dem Abgrund hatte errichten lassen, der die Länder trennte. Karmanjaka und Nangijala, diesseits und jenseits des Flusses der Uralten Flüsse.

Dieser Strom kam tief unter uns im Abgrund herangebraust und stürzte sich mit Getöse den Karmafall hinunter, in noch größere und schrecklichere Tiefen.

Ich fragte Jonathan: »Wie kann man über so fürchterliche Tiefen eine Brücke schlagen?«

»Ja, das möchte ich auch wissen«, sagte er. »Und wie viele Menschenleben es gekostet hat, wie viele mit einem Aufschrei abgestürzt und im Karmafall verschwunden sind, das möchte ich auch wissen.«

Ich schauderte. Mir war, als hörte ich noch die Schreie zwischen den Bergwänden widerhallen.

Wir waren jetzt ganz nahe an Tengils Land. Jenseits der Brücke konnte ich einen Pfad sehen, der sich zwischen den Bergen der Uralten Berge in Karmanjaka hinaufwand.

»Folgst du diesem Pfad, dann kommst du zu Tengils Burg«, sagte Jonathan.

Ich schauderte noch mehr. Doch ich dachte: Mag morgen kommen, was will – heute Abend sitze ich jedenfalls zum ersten Mal in meinem Leben mit Jonathan an einem Lagerfeuer!

Wir hatten es auf einer Felsplatte angezündet, hoch über dem Wasserfall und dicht bei der Brücke. Ich setzte mich so, dass ich allem den Rücken zukehrte. Ich wollte die Brücke, die zu Tengils Land führte, nicht sehen und auch alles andere nicht. So sah ich nur den Schein des Feuers, der flackernd zwischen den Bergwänden hin und her huschte. Es war schön und ein bisschen unheimlich, selbst dies. Aber dann sah ich Jonathans liebes Gesicht im Feuerschein und die Pferde, die ein Stück von uns entfernt ruhten.

»Dies Lagerfeuer ist viel schöner als mein erstes«, sagte ich. »Denn jetzt bin ich ja mit dir zusammen, Jonathan!« Wo ich auch war, immer fühlte ich mich geborgen, wenn Jonathan bei mir war, und ich war glücklich, mit ihm endlich einmal an einem Lagerfeuer zu sitzen, von dem wir so oft gesprochen hatten, als wir noch auf Erden lebten.

»Die Zeit der Lagerfeuer und der Sagen, weißt du noch, dass du das gesagt hast?«, fragte ich Jonathan.

»Ja, ich weiß«, sagte Jonathan. »Aber damals ahnte ich noch nicht, dass es auch in Nangijala böse Sagen gibt.«

»Muss das immer so sein?«, fragte ich.

Er starrte eine Weile stumm ins Feuer.

»Nein«, sagte er dann, »wenn der Kampf einmal vorüber ist, wird Nangijala wohl wieder ein Land, wo Sagen und Märchen schön sind und das Leben leicht und einfach ist wie früher.«

Das Feuer flammte auf und in seinem Schein sah ich, wie erschöpft und traurig Jonathan war.

»Aber dieser letzte Kampf, Krümel, kann nur ein böses Märchen sein, eine Sage vom Tod und nichts als dem Tod. Und deshalb muss Orwar diesen Kampf leiten, nicht ich. Denn ich tauge nicht dazu, einen Menschen zu töten.«

Ich weiß, dass du das nicht kannst, dachte ich. Dann fragte ich ihn: »Warum hast du diesem Pärk das Leben gerettet? War das wirklich recht?«

»Ich weiß nicht, ob es recht war«, antwortete Jonathan.

»Aber es gibt Dinge, die man tun muss, sonst ist man kein Mensch, sondern nur ein Häuflein Dreck, das habe ich dir schon früher gesagt.«

»Und wenn er nun gemerkt hätte, wer du bist?«, fragte ich. »Wenn sie dich nun gefangen genommen hätten!«

»Ja, dann hätten sie eben Löwenherz gefangen und kein Häuflein Dreck«, sagte Jonathan.

Unser Feuer brannte nieder und Dunkelheit senkte sich über die Berge. Zuerst kam die Dämmerung, die alles für eine Weile sanft und freundlich machte. Dann aber brach über uns die schwarze, tosende Finsternis herein, in der man nur den Karmafall hörte und die kein Lichtfünkchen erhellte.

Ich kroch ganz nahe an Jonathan heran. So saßen wir an die Bergwand gelehnt und redeten in der Finsternis miteinander. Angst hatte ich nicht, aber eine seltsame Unruhe hatte mich gepackt. Wir müssten jetzt schlafen, sagte Jonathan, doch ich wusste, dass ich nicht schlafen konnte. Diese Unruhe schnürte mir die Kehle zu, so dass ich kaum sprechen konnte. Es lag nicht an der Finsternis, es war etwas anderes, was, wusste ich nicht. Und doch hatte ich Jonathan neben mir.

Da zuckte plötzlich ein Blitz und ein Donnerknall ertönte, dass es zwischen den Bergwänden dröhnte. Und dann war es über uns. Ein Unwetter, ich hatte nicht geahnt, dass es solche Unwetter gab.

Die Donnerschläge rollten mit solchem Getöse über die Berge, dass man selbst den Karmafall nicht mehr hörte, und die Blitze jagten einander. Bisweilen wurde alles zu flammendem Licht und im nächsten Augenblick wieder zu noch

tieferer Finsternis. Es war, als wäre die Urzeitnacht über uns hereingebrochen.

Und dann kam ein Blitz, furchtbarer als alle anderen. Einen einzigen Augenblick nur loderte er auf und warf sein grelles Licht über alles.

Und da, in diesem Licht, sah ich Katla. *Ich sah Katla.*

13

Ja, ich sah Katla und dann weiß ich nicht mehr, was geschah. Ich sank in eine schwarze Tiefe hinab und erwachte erst wieder, als das Unwetter vorüber war und es über den Gipfeln heller zu werden begann. Ich lag mit dem Kopf in Jonathans Schoß. Der Schrecken saß wieder in mir, sobald ich mich erinnerte.

Dort, weit hinten jenseits des Flusses, dort hatte Katla gestanden, auf einem Felsen hoch über dem Karmafall. Ich wimmerte, wenn ich nur daran dachte, und Jonathan versuchte mich zu trösten.

»Katla ist ja nicht mehr da. Sie ist jetzt fort.«

Aber ich weinte und fragte ihn: »Wie kann es so etwas wie Katla nur geben? Ist es ... ein Ungeheuer oder ...?«

»Ja, Katla ist ein Ungeheuer«, antwortete Jonathan. »Ein Drachenweibchen, emporgestiegen aus der Urzeit und ebenso grausam wie Tengil.«

»Woher hat er sie?«, fragte ich.

»Sie ist aus der Katlahöhle gekommen, das glaubt man jedenfalls«, sagte Jonathan. »Dort war sie einst tief in der Urzeitnacht eingeschlafen und schlief tausend und abertausend Jahre und niemand wusste, dass es sie gab. Doch eines Morgens erwachte sie, an einem schrecklichen Morgen kam sie in Tengils Burg gekrochen und hauchte alles und alle mit ihrem tödlichen Feueratem an. Wo sie entlangkroch, da fielen die Menschen zur Rechten und zur Linken.«

»Und warum ist Tengil davongekommen?«, fragte ich.

»Weil Tengil durch alle Säle der Burg um sein Leben gerannt ist. Als sie näher kam, riss er eine Kriegslure an sich, um seine Soldaten zu Hilfe zu rufen, und als er in dieses Horn blies . . .«

»Was geschah da?«, fragte ich.

»Da kam Katla wie ein Hund zu ihm gekrochen. Und von dem Tage an gehorchte sie Tengil. Und nur Tengil. Vor seinem Horn fürchtet sie sich. Wenn er hineinbläst, gehorcht sie blind.«

Inzwischen war es sehr viel heller geworden. Die Berggipfel drüben in Karmanjaka glühten wie Katlas Feuer. Und dorthin wollten wir. Ich hatte Angst, oh, so große Angst! Wer konnte wissen, wo Katla auf der Lauer lag? Wo war sie, wo hauste sie? Lag sie in der Katlahöhle? Und wie konnte Orwar dann dort sein? Ich fragte Jonathan und er erzählte mir, wie es war. Katla hauste nicht in der Katlahöhle. Dorthin war sie nach ihrem Urzeitschlaf nie wieder zurückgekehrt. Tengil hielt sie angekettet in einer Höhle am Karmafall. Dort sei sie mit einer goldenen Kette gefesselt, sagte Jonathan, und dort müsse sie ständig hocken, außer wenn Tengil sie mitnehme, um die Menschen zu erschrecken.

»Einmal sah ich sie im Heckenrosental«, sagte Jonathan.

»Und da hast du geschrien«, sagte ich.

»Ja, da hab ich geschrien«, sagte Jonathan.

Mein Entsetzen wurde immer größer.

»Ich hab solche Angst, Jonathan. Katla wird uns töten.«

Wieder versuchte er mich zu beruhigen.

»Sie ist doch angekettet. Und kann nur so weit kommen, wie die Kette reicht. Nur bis zu dem Felsen da oben, wo du sie gesehen hast. Dort steht sie meistens und starrt in den Karmafall hinunter.«

»Weshalb tut sie das?«, fragte ich.

»Ich weiß es nicht«, sagte Jonathan. »Vielleicht sucht sie Karm.«

»Wer ist denn Karm?«, fragte ich.

»Ach, das ist nur so eine Sage. Elfrida redet davon«, sagte Jonathan. »Niemand hat Karm je gesehen. Ihn gibt es nicht. Elfrida aber behauptet, Karm hätte in der Urzeit im Karmafall gelebt und deshalb hasse Katla ihn und könne ihn nicht vergessen. Und nur darum stehe sie immer da und glotze hinunter.«

»Und wer ist dieser Karm? Wie konnte er in so einem höllischen Wasserfall wohnen?«, fragte ich.

»Er war auch so ein Ungeheuer«, sagte Jonathan. »Ein Lindwurm, der ebenso lang ist wie der Fluss breit, sagt Elfrida. Aber das ist nur ein altes Märchen, glaub mir.«

»Und wenn es nun genauso wenig ein Märchen ist wie Katla?«, fragte ich.

Darauf antwortete Jonathan nicht, sondern sagte: »Weißt du, was Elfrida noch erzählt hat, während du im Wald warst und Erdbeeren gepflückt hast? Als sie noch klein war, da hat man den Kindern mit Karm und Katla Angst gemacht. Das Märchen von dem Drachen in der Katlahöhle und dem Lindwurm im Karmafall hat sie als Kind oft und sogar gern gehört, nur weil es so gruselig war. Es sei ein uraltes Märchen, mit dem man Kindern zu allen Zeiten Angst eingeflößt habe, hat Elfrida gesagt.«

»Hätte Katla in ihrer Höhle nicht auch ein Märchen bleiben können?«, fragte ich.

»Ja, genau das meinte Elfrida auch«, sagte Jonathan.

Mich schauderte, plötzlich schien mir Karmanjaka ein Land voller Ungeheuer zu sein und ich wollte nicht dorthin. Aber ich musste, und zwar gleich.

Doch zuerst aßen wir von unserem Mundvorrat, hoben aber etwas für Orwar auf. Denn in der Katlahöhle herrschte Hunger, hatte Jonathan gesagt.

Grim und Fjalar tranken von dem Regenwasser, das sich in den Felsspalten gesammelt hatte. Hier oben in den Bergen gab es kein Weideland, aber an der Brücke wuchs ein wenig Gras. Ich hoffte also, dass sie einigermaßen satt waren, als wir aufbrachen.

Und dann ritten wir über die Brücke. Nach Karmanjaka, in Tengils Land und das des Ungeheuers. Ich zitterte vor Angst. Und dieser Lindwurm. Zwar glaubte ich nicht im Ernst, dass es ihn gab – aber wenn er nun doch plötzlich aus der Tiefe auftauchte und uns von der Brücke riss, so dass wir im Karmafall umkamen? Und dann diese Katla, vor ihr grauste es mich am meisten. Vielleicht lauerte sie uns schon dort drüben an Tengils Ufer auf, erwartete uns mit ihren grausamen Hauern und ihrem todbringenden Feuer? Welche Angst ich hatte!

Wir gelangten über die Brücke, Katla war nicht zu sehen. Sie stand auch nicht auf ihrem Felsen und ich sagte zu Jonathan: »Sie ist nicht da!«

Aber sie war doch da! Nicht auf dem Felsen, aber ihr grausiger Kopf guckte hinter einem gewaltigen Felsblock hervor. Dort am Pfad, der zu Tengils Burg hinaufführte, sahen wir sie. Und sie sah uns. Und sie stieß ein Gebrüll aus, das Berge zum Einstürzen bringen konnte. Rauchwolken und Feuergarben sprühten aus ihren Nüstern, sie fauchte vor Raserei und zerrte an ihrer Kette, riss und zerrte daran und brüllte aufs Neue.

Grim und Fjalar bäumten sich auf vor Entsetzen, wir konnten sie kaum halten. Und mein Entsetzen war nicht geringer. Ich bat und bettelte und flehte Jonathan an nach Nangijala zurückzukehren. Doch er sagte:

»Wir dürfen Orwar nicht im Stich lassen! Hab keine Angst, Katla kann uns hier nichts tun, wie sehr sie auch an ihrer Kette zerrt und reißt.«

Trotzdem müssten wir uns beeilen, sagte er, denn Katlas Gebrüll sei ein Warnzeichen, das bis zu Tengils Burg hinauf zu hören sei. Wenn wir uns jetzt nicht davonmachten und in den Bergen versteckten, hätten wir bald einen Schwarm von Tengilsoldaten auf den Fersen.

Und wir ritten. Auf schlechten, schmalen, steilen Bergpfaden ritten wir, dass die Funken stoben, im Zickzack zwischen den Felsen umher, um die Verfolger irrezuführen. Jeden Augenblick erwartete ich hinter uns galoppierende Hufe und Rufe der Tengilsoldaten zu hören, die mit Speeren und Pfeilen und Schwertern hinter uns her waren. Doch keiner kam. Es war nicht so leicht, jemanden in den zerklüfteten Bergen von Karmanjaka zu verfolgen. Wer gejagt wurde, konnte sich dort leicht verstecken.

Als wir schon lange geritten waren, fragte ich Jonathan: »Wohin reiten wir denn jetzt?«

»Zur Katlahöhle, das weißt du doch«, sagte er. »Wir sind bald da. Der Katlaberg liegt dort vor deiner Nase.«

Ja, so war es. Vor uns lag ein nicht sehr hoher, flacher Berg mit steil abfallenden Wänden. Nur auf unserer Seite waren die Hänge nicht so steil. Dort konnte man mühelos hinaufklettern, falls man es wollte. Und wir mussten es, um den Berg zu überqueren, erklärte mir Jonathan.

»Der Eingang liegt nämlich auf der Flussseite«, sagte er. »Und ich muss wissen, was sich dort abspielt.«

»Jonathan, glaubst du wirklich, dass wir jemals in die Katlahöhle hineinkommen?«, fragte ich.

Er hatte mir von dem gewaltigen Bronzetor erzählt, das den Eingang zur Höhle versperrte, und von den Tengilmännern, die dort Tag und Nacht Wache standen. Wie um alles in der Welt sollten wir da hineinkommen?

Darauf antwortete er mir nicht, sondern sagte nur, wir müssten jetzt die Pferde verstecken, weil sie ja nicht klettern könnten.

Wir führten sie in eine geschützte Felskluft gerade unterhalb des Katlaberges und dort ließen wir auch unsere sonstige Habe. Jonathan gab Grim einen Klaps und sagte: »Wartet hier auf uns, wir machen nur einen Erkundungsgang.«

Dieser Erkundungsgang gefiel mir ganz und gar nicht. Ich mochte mich auch nicht von Fjalar trennen. Aber mir blieb nichts anderes übrig.

Es dauerte eine gute Weile, bis wir oben auf dem Plateau angelangt waren, und ich war müde. Als Jonathan meinte, wir könnten ein bisschen verschnaufen, warf ich mich sofort der Länge nach auf die Erde. Jonathan tat es auch und so lagen wir dort oben auf dem Katlaberg, den weiten Himmel über uns und die Katlahöhle unter uns. Es war schon seltsam, zu wissen, dass unter uns diese unheimliche Höhle mit all ihren Gängen und Nischen lag, wo so viele Menschen verschmachtet und umgekommen waren. Und hier draußen flatterten Schmetterlinge im Sonnenschein umher, am blauen Himmel über uns segelten weiße Wölkchen und um uns herum blühten Blumen im Gras. Wahrhaftig: Auf dem Dach der Katlahöhle blühten Blumen!

Plötzlich musste ich denken: Wenn dort unten schon so viele umgekommen sind, dann ist vielleicht auch Orwar tot. Ich fragte Jonathan, was er glaube. Doch er antwortete mir nicht. Er starrte nur in den Himmel, er dachte an etwas anderes, das merkte ich. Schließlich sagte er: »Wenn es wirklich wahr ist, dass Katla ihren Urzeitschlaf in der Katlahöhle geschlafen hat, wie ist sie dann nach dem Erwachen herausgekommen? Das Bronzetor hat es damals schon gegeben. Tengil hat die Katlahöhle schon immer als Gefängnis benutzt.«

»Während Katla dort drinnen schlief?«, fragte ich.

»Ja, während Katla dort schlief«, sagte Jonathan. »Ohne dass jemand etwas von ihr wusste.«

Mich überlief es kalt. Schlimmeres konnte ich mir nicht vorstellen. In der Katlahöhle gefangen sitzen und plötzlich einen Drachen auf sich zukriechen sehen!

Aber Jonathan hatte andere Gedanken im Kopf.

»Sie muss irgendwo anders herausgekommen sein«, sagte er. »Und diese Stelle muss ich finden, und wenn ich ein ganzes Jahr danach suche!«

Lange konnten wir nicht rasten. Jonathan hatte keine Ruhe.

Nach einer kurzen Wanderung über den Berg näherten wir uns der Katlahöhle. Tief unter uns sahen wir schon den Fluss und auf der anderen Seite Nangijala, oh, wie ich mich dahin zurücksehnte!

»Schau doch, Jonathan«, rief ich. »Ich kann den Weidenbaum sehen, wo wir gebadet haben! Dort auf der anderen Seite des Flusses!«

Es war wie ein Gruß über das Wasser hin, ein kleiner grüner Gruß von einem freundlichen Ufer.

Jonathan machte mir ein Zeichen, still zu sein. Er fürchtete wohl, jemand könne uns hören. Wir waren jetzt dicht am Steilhang, hier endete der Katlaberg. Und in dieser Felswand unter uns befand sich das Bronzetor zur Katlahöhle. Das hatte Jonathan mir gesagt. Nur war es von hier oben nicht zu sehen. Aber die Wachtposten konnten wir sehen. Drei Tengilmänner waren es und mir pochte das Herz, als ich ihre Helme sah.

Um hinuntersehen zu können, waren wir auf dem Bauch bis zur Felskante gekrochen. Hätten die Tengilmänner einen einzigen Blick nach oben geworfen, hätten sie uns entdeckt. Aber faulere Wachtposten konnte es kaum geben. Sie sahen weder nach rechts noch nach links, weder nach unten noch nach oben. Sie machten Würfelspiele und kümmerten sich um nichts anderes. Durch das Bronzetor konnte ohnehin kein Feind gelangen und was brauchten sie dann wachsam zu sein?

Plötzlich sahen wir, wie sich das Tor dort unten öffnete, jemand kam aus der Höhle – noch ein Tengilmann! Er hielt einen leeren Essnapf in der Hand, den er jetzt zu Boden warf. Das Tor fiel hinter ihm zu und wir hörten ihn abschließen.

»So, das war der letzte Fraß für dieses Schwein«, sagte er.

Die anderen lachten und einer von ihnen sagte: »Weiß er eigentlich, was für ein besonderer Tag heute ist? Der letzte seines Lebens. Du hast ihm doch wohl gesagt, dass

Katla heute Abend, sobald es dunkel geworden ist, auf ihn wartet!«

»Ja, und wisst ihr, was er darauf geantwortet hat? ›Also endlich‹, hat er gesagt. Und dann bat er das Heckenrosental zu grüßen. Was sagte er noch? ›Orwar kann sterben, doch die Freiheit nie!‹«

»Er kann mich mal«, sagte der andere. »Das soll er heute Abend Katla erzählen. Er wird schon hören, was sie ihm antwortet.«

Ich sah Jonathan an. Er war blass geworden.

»Komm«, sagte er. »Wir müssen hier weg.«

So leise und rasch, wie wir nur konnten, krochen wir vom Abgrund fort, und sobald wir außer Sicht waren, rannten wir. Wir rannten den ganzen Weg zurück und machten erst Halt, als wir bei Grim und Fjalar angelangt waren.

Wir hockten uns stumm neben unsere Pferde in die Felsenkluft, denn nun wussten wir nicht weiter. Jonathan war so traurig und ich konnte ihn nicht trösten, ich konnte nur mit ihm traurig sein. Ich verstand seinen Kummer. Er hatte geglaubt Orwar helfen zu können und jetzt gab es keine Hilfe mehr.

»Orwar, mein Freund, dich habe ich nie kennen gelernt«, sagte er. »Und heute Abend musst du sterben und was soll dann aus Nangijalas grünen Tälern werden?«

Wir aßen ein Stück Brot, das wir mit Grim und Fjalar teilten. Ich wollte auch gern ein paar Schluck von der Ziegenmilch trinken, die wir aufgespart hatten.

»Noch nicht, Krümel«, sagte Jonathan. »Heute Abend, wenn es dunkel ist, kriegst du alles bis auf den letzten Tropfen. Aber nicht früher.«

Eine ganze Weile saß er dort stumm und verzagt, doch schließlich sagte er: »Es ist, als suche man im Heuhaufen nach einer Stecknadel, das weiß ich. Aber versuchen müssen wir es trotzdem.«

»Versuchen? Was denn?«, fragte ich.

»Ausfindig machen, wo Katla rausgekommen ist«, sagte er.

Er glaubte freilich selber nicht daran, das merkte ich.

»Ja, wenn wir ein Jahr Zeit dafür hätten«, sagte er. »Dann vielleicht! Wir haben aber nur einen Tag.«

Gerade als er das sagte, geschah etwas: In der engen Spalte, in der wir hockten, wuchs an der Felswand ein Gebüsch und aus diesem Gebüsch kam unversehens ein verängstigter Fuchs hervorgeschossen. Er flitzte an uns vorbei und war fast im selben Augenblick verschwunden.

»Wo ist dieser Fuchs bloß hergekommen?«, rief Jonathan. »Das muss ich herausfinden!«

Er kroch in das Gestrüpp und ich wartete. Er blieb so lange fort und verhielt sich so still, dass ich schließlich unruhig wurde.

»Wo bist du, Jonathan?«, schrie ich.

Und darauf bekam ich wahrlich eine Antwort! Seine Stimme klang ganz aufgeregt.

»Weißt du, woher der Fuchs kam?«, rief Jonathan. »Aus dem Berg! Begreif doch, Krümel, aus dem Katlaberg! Dort drinnen ist eine große Grotte!«

Vielleicht war alles schon vorherbestimmt, seit der Urzeit der Märchen und Sagen? Vielleicht wurde Jonathan schon damals um des Heckenrosentals willen zu Orwars Retter bestimmt? Vielleicht gab es unsichtbare Märchenwesen, die, ohne dass wir es ahnten, unsere Schritte lenkten? Wie sonst hätte Jonathan gerade dort, wo wir unsere Pferde abgestellt hatten, einen Zugang zur Katlahöhle finden können? Es war rätselhaft, genauso rätselhaft, wie es gewesen war, dass ich bei all den vielen Häusern im Heckenrosental gerade auf dem Matthishof gelandet war und nicht woanders.

Katlas Ausgang aus der Katlahöhle musste es sein, den Jonathan gefunden hatte, anders konnte es nicht sein! Es war ein Loch, das geradewegs durch die Felswand führte. Und dieses Loch war nicht groß. Gerade groß genug, dass sich ein ausgehungertes Drachenweibchen hindurchzwängen konnte, als es nach Tausenden von Jahren erwachte und seinen gewohnten Ausgang durch ein Bronzetor versperrt fand, so erklärte es mir Jonathan. Und dieses Loch war auch groß genug für uns! Ich starrte in den finsteren Schlund. Wie viele schlafende Drachen mochte es dort geben? Ungeheuer, die aufwachten, wenn man da unten versehentlich auf sie trat? Das alles schoss mir durch den Kopf.

Da spürte ich Jonathans Arm auf meiner Schulter.

»Krümel«, sagte er, »ich weiß nicht, was dort im Dunkeln lauert, aber hinein will ich.«

»Ich auch«, sagte ich und meine Stimme zitterte wohl dabei.

Jonathan strich mir mit dem Zeigefinger über die Wange, wie er es manchmal tat.

»Bist du sicher, dass du nicht lieber bei den Pferden warten willst?«

»Habe ich nicht gesagt, dass ich mitkomme, wohin du auch gehst?«, sagte ich.

»Doch, das hast du«, sagte Jonathan und seine Stimme klang recht froh.

»Denn ich will bei dir sein«, fuhr ich fort, »auch wenn es in einem unterirdischen Höllenreich ist.«

Ein solches Höllenreich war die Katlahöhle. In dieses schwarze Loch hineinzukriechen, das war wie in einen bösen schwarzen Traum einzutauchen, aus dem es kein Erwachen mehr gibt; es war, als komme man aus dem Sonnenschein in ewige Nacht.

Die ganze Katlahöhle muss ein altes ausgestorbenes Drachennest sein, seit Urzeiten von Bosheit verpestet, dachte ich. Hier sind wohl die Dracheneier zu Tausenden ausgebrütet worden und grausame Drachen sind in Heerscharen ausgezogen und haben alles, was ihnen in den Weg kam, getötet.

So ein altes Drachennest war für Tengil sicher ein vortreffliches Gefängnis. Mir grauste, als ich an all das dachte, was er hier drinnen Menschen angetan hatte. Mir kam die Luft dick vor von all der alten eingetrockneten Bosheit. In der schrecklichen Stille ringsum hörte ich plötzlich seltsames Geflüster. Tief aus dem Inneren der Höhle drang dieses Raunen und mir war, als erzähle es von aller Pein und allem Weinen und aller Todesqual, von allem, was die Katlahöhle unter Tengils Herrschaft erlebt hatte. Ich wollte Jonathan fragen, ob auch er dieses Flüstern hörte, aber ich tat es nicht. Ich hatte es mir wohl nur eingebildet.

»Und jetzt, Krümel, machen wir uns auf eine Wanderung, die du nie vergessen wirst«, sagte Jonathan.

Und er hatte Recht. Um zu dem Kerkerloch dicht neben dem Bronzetor zu gelangen, wo sich Orwar befand, mussten wir den ganzen Berg durchqueren. Dieses Kerkerloch meinten die Leute, wenn sie von der Katlahöhle sprachen, sagte

Jonathan, von der anderen riesigen Grotte ahnten sie gar nichts. Und wir wussten nicht, ob wir auf diesem unterirdischen Wege wirklich dorthin gelangen würden. Wir wussten nur, dass es ein weiter Weg war. Denn wir waren die gleiche Strecke oben auf dem Berg gewandert. Zehnmal so mühsam musste es sein, sich in den stockfinsteren Irrgängen vorwärts zu tasten, nur mithilfe der Fackeln, die wir bei uns hatten.

Es war unheimlich, den Fackelschein an den Höhlenwänden hin und her flackern zu sehen. Nur ein winziges Stückchen Dunkelheit von der großen Finsternis um uns wurde erhellt und alles, was außerhalb dieses Lichtscheins lag, wirkte umso gefährlicher. Wer weiß, dachte ich, vielleicht wimmelt es dort von Drachen und Schlangen und Ungeheuern, die in ihren kohlschwarzen Löchern auf uns lauern. Ich hatte auch große Angst, wir könnten uns in den Gängen verirren, doch Jonathan zeichnete mit der Fackel schwarze Rußkreuze an die Grottenwände, damit wir den Weg zurück fanden.

Eine Wanderung, hatte Jonathan gesagt, aber wandern konnte man das nicht nennen. Wir krochen und rutschten, schwammen und sprangen, kletterten und klommen und rackerten und plagten uns ab. Was für eine Wanderung! Und was für Gewölbe! Wir gelangten in Grottensäle, die so groß waren, dass wir nicht erkennen konnten, wo sie aufhörten, und nur aus dem Echo schlossen, dass sie riesig waren. Dann mussten wir durch Gänge, in denen wir nicht einmal aufrecht gehen, sondern nur wie Drachen kriechen konnten, und dann wieder wurde der Weg von unterirdischen Strömen versperrt, die wir durchschwimmen mussten. Und schlimmer als alles – bisweilen taten sich gähnende Abgründe vor uns auf. In einen solchen Abgrund wäre ich um ein Haar hinabgestürzt. Ich trug gerade die Fackel und stolperte. Im selben Augenblick, als ich fast schon in die Tiefe stürzte, bekam Jonathan mich zu fassen. Und dabei verlor ich die Fackel. Wir sahen sie als Feuerstreifen fallen, tiefer, immer tiefer, und schließlich verschwinden. Da standen wir nun in der Finsternis. In der tiefsten und schwärzesten Finsternis der Welt. Ich wagte mich nicht zu rühren und nicht zu reden und nicht zu denken. Ich versuchte zu vergessen, dass es mich gab und dass ich dort in der pechschwarzen Dunkelheit unmittelbar vor einem Abgrund stand. Aber ich hörte Jonathans Stimme neben mir. Schließlich gelang es ihm, die zweite Fackel, die wir bei uns hatten, anzuzünden. Und die ganze Zeit über sprach er zu mir, er sprach und sprach, ganz ruhig. Das tut er nur, damit ich nicht vor Schreck umkomme, dachte ich.

Und dann plagten wir uns weiter. Wie lange, das weiß ich nicht. In der Tiefe der Katlahöhle gab es keine Zeit. Mir war, als irrten wir dort eine Ewigkeit umher, und ich fürchtete schon, wir kämen zu spät. Vielleicht war es schon Abend, vielleicht war es draußen schon dunkel geworden. Und Orwar... Vielleicht war er jetzt schon bei Katla!

Ich fragte Jonathan, ob er dies glaube.

»Ich weiß es nicht«, sagte er. »Aber wenn du nicht den Verstand verlieren willst, dann denk jetzt nicht daran.«

Wir waren in einen schmalen, gewundenen Gang gekommen, der kein Ende nehmen wollte und immer niedriger und enger wurde. Er schrumpfte in der Höhe und in der Breite, bis man sich kaum noch hindurchzwängen konnte, und schließlich war er nur noch ein Schacht, durch den man kriechen musste.

Aber am anderen Ende des Schachtes waren wir plötzlich in einer großen Höhle. Wie groß, konnten wir nicht wissen, denn der Fackelschein reichte nicht weit. Doch Jonathan probierte das Echo aus.

»Hohoho«, rief er und viele Male und von vielen Seiten hörten wir es »Hohoho« antworten.

Aber dann hörten wir noch etwas. Eine andere Stimme rief in der Finsternis.

»Hohoho«, ahmte sie das Echo nach. »Was willst du, der du auf geheimen Wegen mit Fackel und Licht kommst?«

»Ich suche Orwar«, rief Jonathan.

»Orwar ist hier«, rief die Stimme. »Und wer bist du?«

»Ich bin Jonathan Löwenherz«, rief Jonathan. »Und mein Bruder Karl Löwenherz ist mit mir gekommen. Wir sind hier, um dich zu befreien, Orwar.«

»Zu spät«, sagte die Stimme, »zu spät – doch habt Dank!«

Kaum hatte Orwar diese Worte gesprochen, hörten wir, wie sich das Bronzetor mit einem Quietschen öffnete. Jonathan warf die Fackel zu Boden und trat sie aus. Wir blieben wie erstarrt stehen und warteten.

Durch das Tor kam ein Tengilmann mit einer Laterne. Und da begann ich still vor mich hin zu weinen, nicht weil ich Angst hatte, sondern Orwars wegen. Wie konnte es nur so etwas Grausames geben, dass sie ihn gerade jetzt holen wollten!

»Orwar aus dem Heckenrosental, mach dich bereit«, sagte der Tengilmann. »Gleich wirst du zu Katla geführt. Die schwarzen Schergen sind schon unterwegs.«

Im Licht seiner Laterne erblickten wir einen großen hölzernen Käfig aus dicken Latten – wie ein Tier hielt man Orwar darin gefangen.

Der Tengilmann stellte die Laterne neben dem Käfig ab.

»Die Laterne darfst du während deiner letzten Stunde hier behalten, das hat Tengil in seiner Gnade bestimmt. Damit du dich wieder ans Licht gewöhnst und Katla sehen kannst, wenn man dich zu ihr führt. Das möchtest du doch wohl, nicht?«

Darauf lachte er schallend und verschwand durch das Tor. Dröhnend fiel es ins Schloss.

Fast im selben Augenblick waren wir schon bei Orwar, im Schein der Laterne sahen wir ihn in seinem Käfig. Es war grauenhaft. Obwohl er sich kaum bewegen konnte, kroch er bis an die Gitterstäbe und streckte uns die Hände entgegen.

»Jonathan Löwenherz«, sagte er. »Von dir habe ich daheim im Heckenrosental viel gehört. Und nun bist du hier!«

»Ja, nun bin ich hier«, sagte Jonathan und erst jetzt merkte ich, dass auch er weinte, Orwar in seinem Elend beweinte. Aber schon riss er sein Messer aus der Scheide und stürzte sich auf den Käfig.

»Pack zu, Krümel, hilf mir!«, rief er. Und auch ich ging mit dem Messer auf den Käfig los. Doch was ließ sich schon mit zwei Messern ausrichten? Eine Axt und eine Säge hätten wir gebraucht!

Dennoch schnitten und kerbten wir, bis uns die Hände bluteten. Und dabei weinten wir, denn wir wussten, wir waren zu spät gekommen. Auch Orwar wusste es, aber vielleicht wollte er es einfach nicht glauben, denn er keuchte vor Erregung da in seinem Käfig und manchmal murmelte er: »Beeilt euch! Beeilt euch!«

Und das taten wir: Wir schnitten und kerbten wie besessen und erwarteten jede Sekunde, dass das Tor sich öffnete und die schwarzen Schergen erschienen und für Orwar und für uns und für das ganze Heckenrosental das Ende kommen würde. Denn nicht nur einen würden sie dann holen, dachte ich. Heute Abend bekommt Katla drei!

Ich spürte, wie meine Kräfte nachließen, mir zitterten die Hände, so dass ich das Messer kaum noch halten konnte. Jonathan tobte vor Wut, weil die Latten nicht nachgeben wollten, wie sehr wir auch auf sie einhieben. Er trat mit dem Fuß dagegen, brüllte und stieß wieder mit dem Fuß dagegen, kerbte weiter und stieß wieder zu und dann krachte es endlich, ja, endlich war eine Latte zersplittert. Und dann noch eine. Das reichte.

»Jetzt, Orwar, jetzt!«, sagte Jonathan. Nur ein Keuchen antwortete ihm. Da kroch er selber in den Käfig und zerrte Orwar, der sich nicht auf den Beinen halten konnte, heraus. Auch ich konnte mich kaum noch aufrecht halten, wankte aber doch voran und leuchtete mit der Laterne, während Jonathan sich daranmachte, Orwar zu unserem Rettungsschacht zu schleppen. Er keuchte vor Erschöpfung, ja, wir keuchten wie gehetztes Wild, wir alle drei, und so war uns auch zumute, wenigstens mir. Wie Jonathan das schaffte, weiß ich nicht, jedenfalls gelang es ihm, Orwar durch die ganze Grotte zu schleppen, und es gelang ihm auch, sich selber durch das Loch zu zwängen und Orwar, der mehr tot als lebendig war, hinter sich herzuziehen.

Auch ich war mehr tot als lebendig – und sollte nun in den Schacht kriechen. Doch ich kam nicht mehr dazu. Schon hörten wir das Tor quietschen und da verließ mich das letzte bisschen Kraft. Ich konnte mich nicht rühren.

»Schnell, schnell, die Laterne«, stieß Jonathan hervor und

ich reichte sie ihm mit zitternden Händen. Die Laterne musste versteckt werden, der winzigste Lichtstrahl hätte uns verraten.

Die schwarzen Schergen – jetzt waren sie in der Höhle. Und außer ihnen Tengilmänner, alle mit Laternen in den Händen. Es wurde erschreckend hell. Hinten in unserer Ecke aber war es finster. Und Jonathan beugte sich vor, packte mich an den Armen und zog mich in das Loch. Hinein in den dunklen Schacht.

Und dort lagen wir keuchend, alle drei, und hörten das: »Er ist geflohen. Er ist geflohen!«

14

In dieser Nacht führten wir Orwar durch die Unterwelt, Jonathan tat es. Er schleppte ihn durch die Höhle, anders kann man es nicht nennen. Ich hatte nur noch die Kraft, mich selber vorwärts zu schleppen, und kaum das.

»Er ist geflohen! Er ist geflohen«, schrien sie, und als es still wurde, warteten wir auf die Verfolger. Aber es kamen keine. Und doch musste sich selbst ein Tengilmann ausrechnen können, dass es irgendwo ein Schlupfloch aus der Katlahöhle gab, durch das wir entkommen waren. Und dieses Schlupfloch zu entdecken war ja nicht so schwer. Aber wahrscheinlich waren sie feige, diese Tengilmänner, sie wagten sich nur an Feinde heran, wenn sie im Trupp angreifen konnten, und keiner von ihnen traute sich als Erster in einen engen Schacht zu kriechen, wo ein unbekannter Feind auf sie lauern konnte. Sie waren ganz einfach zu feige, weshalb sonst ließen sie uns so leicht entkommen? Nie zuvor war ein Mensch aus der Katlahöhle geflohen. Wie wollten sie Tengil Orwars Flucht erklären, das fragte ich mich. Das sei ihre Sorge, meinte Jonathan. Wir hätten eigene Sorgen, und zwar mehr als genug.

Erst nachdem wir durch den langen, engen Schacht gerutscht und gekrochen waren, wagten wir ein wenig zu verschnaufen. Es war auch nötig, Orwars wegen. Jonathan gab ihm Ziegenmilch, die sauer geworden, und Brot, das durch-

weicht war, und trotzdem sagte Orwar: »Eine bessere Mahlzeit habe ich nie gegessen!«

Jonathan rieb ihm lange und gründlich die Beine, um wieder Leben hineinzubringen, und Orwar erholte sich auch ein wenig. Gehen konnte er allerdings nicht, nur kriechen.

Er erfuhr von Jonathan, auf welchen Wegen wir gekommen waren, und als Jonathan ihn fragte, ob er trotzdem versuchen wolle noch in dieser Nacht weiterzugehen, sagte Orwar: »Ja, ja, ja! Wenn es sein muss, krieche ich auf den Knien heim ins Heckenrosental. Ich will hier nicht liegen und abwarten, bis Tengils Bluthunde uns heulend durch die Höhlengänge verfolgen.«

Schon jetzt spürte man, wer er war: kein armer Gefangener, sondern ein Aufrührer und Freiheitskämpfer war Orwar aus dem Heckenrosental. Als ich dort unten im Schein der Laterne seine Augen sah, begriff ich, warum Tengil ihn fürchtete. In ihm brannte ein Feuer, so schwach und elend er im Augenblick auch war, und diesem Feuer war es wohl zu danken, dass er die Höllennacht lebend überstand. Denn keine Nacht konnte schlimmer sein als diese.

Lang wie die Ewigkeit war sie und voller Grauen. Aber wenn man völlig erschöpft ist, wird einem alles gleichgültig. Sogar Bluthunde, die einem auf den Fersen sind. Denn natürlich hörten wir die Hunde hinter uns heulen und kläffen. Doch ich hatte ganz einfach nicht die Kraft, mich zu fürchten. Im Übrigen verstummten sie bald. Nicht einmal die Bluthunde wagten sich so weit wie wir in die Abgründe hinein, wo wir herumkrochen.

Lange, lange mühten wir uns dort vorwärts, und als wir endlich zerschunden und blutbeschmiert und durchnässt und halb tot vor Müdigkeit dort ans Tageslicht gelangten, wo Grim und Fjalar standen, war die Nacht bereits zu Ende und der Morgen da. Orwar streckte die Arme aus, als wollte er die Erde umarmen und den Himmel und alles, was er sah, aber seine Arme sanken hinab und schon schlief er. Wir alle drei fielen wie betäubt in Schlaf und wussten von nichts mehr, bis es beinahe wieder Abend war. Da erst wachte ich auf. Fjalar hatte mich mit dem Maul geknufft. Er fand wohl, ich hätte lange genug geschlafen.

Jonathan war auch wach.

»Wir müssen raus aus Karmanjaka, ehe es dunkel wird«, sagte er. »Sonst finden wir den Weg nicht.«

Er weckte Orwar. Als dieser endlich zu sich gekommen war, sich aufgesetzt hatte und nun umherblickte, sich erinnerte und begriff, dass er nicht länger in der Katlahöhle war, traten ihm Tränen in die Augen.

»Frei«, murmelte er, »frei!«

Und er ergriff Jonathans Hände und hielt sie lange fest.

»Leben und Freiheit hast du mir wiedergeschenkt«, sagte er und er dankte auch mir, obgleich ich gar nichts getan hatte, sondern meistens nur im Wege gewesen war.

Sicherlich war Orwar so zumute wie mir damals, als ich von all meinem Leid erlöst worden und ins Kirschtal gekommen war, und ich wünschte ihm so sehr, dass auch er sein Tal erreichte, lebendig und frei.

Doch noch waren wir nicht dort. Noch waren wir in den Bergen Karmanjakas, wo es jetzt wohl von Tengils Soldaten wimmelte, die nach Orwar suchten. Welch Glück, dass sie uns nicht während des Schlafes in unserer Schlucht aufgestöbert hatten!

Dort saßen wir und aßen unser letztes Brot. Und hin und wieder sagte Orwar: »Nein, dass ich lebe! Dass ich wirklich frei bin und lebe!«

Er war der Einzige von allen Gefangenen in der Katlahöhle, der am Leben geblieben war. Alle anderen waren Katla zum Opfer gefallen.

»Aber auf Tengil ist Verlass«, sagte Orwar. »Glaubt mir, er sorgt schon dafür, dass die Katlahöhle nicht lange leer bleibt.« Wieder traten ihm Tränen in die Augen und er sagte: »Ach du mein Heckenrosental, wie lange musst du noch unter Tengil leiden?«

Er wollte alles hören, was sich während seiner Gefangenschaft in den Tälern von Nangijala zugetragen hatte. Von Sophia und Matthias und von allem, was Jonathan getan hatte.

Und Jonathan erzählte. Auch von Jossi. Als Orwar hörte, dass er wegen Jossi so lange in der Katlahöhle hatte leiden müssen, fürchtete ich fast, er würde vor meinen Augen sterben. Es dauerte eine Zeit lang, bis er sich wieder gefangen hatte und sprechen konnte, und dann sagte er: »Mein Leben bedeutet nichts. Aber was Jossi dem Heckenrosental angetan hat, das kann nie gesühnt oder verziehen werden.«

»Ob es verziehen wird oder nicht – Jossi hat seine Strafe bestimmt schon bekommen«, sagte Jonathan. »Ihn siehst du nie wieder!«

Doch Orwar raste vor Zorn. Und er wollte sofort weiter, es war, als wollte er den Freiheitskampf noch diesen Abend beginnen, und er fluchte über seine Beine, die ihn nicht tragen wollten, immer wieder versuchte er sich zu erheben und zu stehen und schließlich gelang es ihm. Voll Stolz zeigte er es uns. Was für ein Anblick, ihn dort stehen und hin- und herschwanken zu sehen, als könne er umgeweht werden. Man musste lächeln, wenn man ihn so sah.

»Orwar«, sagte Jonathan, »man sieht dir von weitem an, dass du ein Gefangener der Katlahöhle bist.«

Und das stimmte. Blutig und schmutzig waren wir alle drei, doch Orwar am schlimmsten: Seine Kleidung war zerfetzt und Bart und Haare waren so lang und wild, dass sein Gesicht kaum zu sehen war. Nur die Augen sah man. Seine merkwürdigen, brennenden Augen.

Durch unsere Felskluft floss ein kleiner Bach und dort wuschen wir Schmutz und Blutspuren ab. Immer wieder tauchte ich mein Gesicht in das kalte Wasser. Das tat gut! Es war, als spüle man die ganze grausame Katlahöhle fort!

Danach lieh sich Orwar mein Messer, schnitt sich viel von

seinem Bart und den Haaren ab und nun sah er schon nicht mehr ganz wie ein entflohener Gefangener aus. Jetzt holte Jonathan aus seinem Rucksack den Tengilhelm und den Mantel hervor, die ihm geholfen hatten aus dem Heckenrosental herauszukommen.

»Hier, Orwar, setz den Helm auf und zieh den Mantel an«, sagte er. »Dann halten sie dich vielleicht für einen Tengilmann, der zwei Gefangene abführt.«

Orwar nahm Helm und Mantel, aber er tat es nicht gern.

»Zum ersten und letzten Mal siehst du mich in dieser Kleidung«, sagte er. »Sie stinkt nach Unterdrückung und Grausamkeit.«

»Mag sie stinken, so viel sie will«, sagte Jonathan, »wenn sie dir nur hilft ins Heckenrosental zu kommen.«

Es war an der Zeit aufzubrechen. In wenigen Stunden würde die Sonne untergehen, und wenn es in den Bergen dunkel wurde, konnten wir auf den gefährlichen Pfaden nicht vorwärts kommen.

Jonathan sah sehr ernst aus. Er wusste, was uns bevorstand, und ich hörte, wie er Orwar fragte: »Die beiden nächsten Stunden entscheiden über das Schicksal des Heckenrosentals. Wirst du dich so lange im Sattel halten können?«

»Ja, ja, ja«, rief Orwar. »Zehn Stunden, wenn es sein muss.«

Er sollte auf Fjalar reiten. Jonathan half ihm in den Sattel. Und sofort wurde Orwar ein ganz anderer. Er sah aus, als wachse er im Sattel und werde stärker, ja, Orwar war einer dieser Mutigen und Starken, genau wie Jonathan. Nur ich war gar nicht mutig. Als wir aber aufgestiegen waren und ich die Arme um Jonathan schlang und die Stirn gegen seinen Rücken lehnte, da war es, als ströme ein wenig von seiner

Kraft auf mich über, und ich hatte nicht mehr solche Angst. Dennoch musste ich daran denken, wie herrlich es wäre, wenn wir nicht immer so stark und mutig zu sein brauchten. Ach, wenn wir doch noch einmal wieder so zusammen sein könnten wie in den ersten Tagen im Kirschtal, oh, wie lange war das her!

Und dann brachen wir auf. Wir ritten dem Sonnenuntergang entgegen auf die Brücke zu. Aber in den Bergen von Karmanjaka gab es viele und in die Irre führende Pfade. Niemand außer Jonathan fand sich in diesem Gewirr zurecht. Er aber konnte es merkwürdigerweise und das war ein Glück für uns. Ich spähte nach Tengilmännern aus, dass mir die Augen brannten. Aber es waren keine zu sehen. Keiner außer Orwar, der in seinem schrecklichen Helm und dem schwarzen Mantel hinter uns ritt. Jedes Mal, wenn ich den Kopf wandte und ihn sah, schrak ich zusammen, so sehr hatte ich gelernt diesen Helm und alle, die ihn trugen, zu fürchten.

Wir ritten und ritten und nichts geschah. Überall, wohin wir kamen, war es ruhig und friedlich und schön. Stiller Abend in den Bergen, so könnte man es nennen, dachte ich, wenn es nicht so falsch gewesen wäre. Alles Mögliche konnte diese Stille durchbrechen und wir empfanden nur eine unerträgliche Spannung. Selbst Jonathan war unruhig und jeden Augenblick auf der Hut.

»Wenn wir nur erst über die Brücke sind«, sagte er, »dann haben wir das Schlimmste hinter uns.«

»Wann können wir da sein?«, fragte ich.

»Falls alles gut geht, in einer halben Stunde«, antwortete Jonathan.

Und gerade da sahen wir sie! Einen Trupp Tengilmänner,

sechs Speerträger auf schwarzen Rossen. Wo der Weg um eine Felswand führte, tauchten sie auf und kamen geradewegs auf uns zugetrabt.

»Jetzt geht es ums Leben«, rief Jonathan. »Hierher, Orwar!«

Orwar galoppierte zu uns und Jonathan warf ihm seine Zügel zu, damit wir etwas mehr wie Gefangene aussahen.

Noch hatten sie uns nicht entdeckt, aber zur Flucht war es zu spät. Wohin hätten wir auch fliehen sollen? Wir konnten nichts anderes tun als auf sie zuzureiten und zu hoffen, Orwars Helm und Mantel werde sie täuschen.

»Lebendig kriegen sie mich nicht«, sagte Orwar. »Damit du es weißt, Löwenherz!«

So ruhig wie möglich ritten wir auf unsere Feinde zu. Immer näher kamen wir. Mich überlief eine Gänsehaut und ich musste denken: Wenn wir jetzt noch geschnappt werden, dann hätten sie uns ebenso gut in der Katlahöhle festnehmen können und wir hätten uns nicht die ganze Nacht nutzlos abzuplagen brauchen.

Dann trafen wir aufeinander. Sie zügelten ihre Pferde, um auf dem schmalen Pfad an uns vorbeizukommen. Und der Anführer des Trupps war ein alter Bekannter. Es war Pärk.

Jonathan und mich blickte er nicht an. Er sah nur Orwar.

Und als sie aneinander vorbeiritten, fragte er: »Hast du gehört, ob sie ihn schon gekriegt haben?«

»Nein, hab nichts gehört«, antwortete Orwar.

»Und wo willst du hin?«, fragte Pärk.

»Ich hab hier zwei Gefangene«, sagte Orwar und mehr erfuhr Pärk nicht. Danach ritten wir weiter, so schnell wir es wagten.

»Dreh dich vorsichtig um, Krümel, und sieh, was sie machen«, sagte Jonathan. Ich tat es.

»Sie reiten fort«, sagte, ich.

»Gott sei Dank!«, rief Jonathan.

Doch er hatte sich zu früh gefreut. Jetzt sah ich sie anhalten und uns nachblicken.

»Sie überlegen«, sagte Jonathan.

Und das taten sie offenbar.

»Halt!«, schrie Pärk. »Halt an, ich will mir deine Gefangenen ein bisschen näher anschauen und dich auch.«

Orwar biss die Zähne zusammen.

»Reit zu, Jonathan«, rief er. »Sonst sind wir des Todes!«

Und wir galoppierten los. Sofort machten Pärk und der ganze Trupp kehrt, ja, sie kehrten um und setzten uns nach, dass die Mähnen ihrer Pferde nur so flatterten.

»Jetzt zeig, was du kannst, Grim!«, rief Jonathan.

Und du auch, mein Fjalar, dachte ich und wünschte, ich könnte ihn selber reiten.

Bessere Renner als Grim und Fjalar gab es nicht. Sie flogen nur so auf dem Pfad dahin, sie wussten, dass es um Leben oder Tod ging! Wir hörten die klappernden Hufe unserer Verfolger manchmal näher, manchmal entfernter, aber beharrlich. Sie

verstummten nicht. Denn jetzt wusste Pärk, wen er jagte, und eine solche Beute wollte sich kein Tengilmann entgehen lassen. Mit ihr vor Tengil hinzutreten, das wäre etwas!

Als wir über die Brücke galoppierten, waren sie uns dicht auf den Fersen, ein paar Speere schwirrten hinter uns her, erreichten uns aber nicht.

Jetzt waren wir auf der Nangijala-Seite und nun sollten wir eigentlich das Schlimmste hinter uns haben. Das hatte Jonathan gesagt. Davon war jedoch nichts zu merken, im Gegenteil. Weiter ging die Hetzjagd am Fluss entlang. Hoch oben auf der Uferböschung schlängelte sich der Reitweg dahin, der ins Heckenrosental führte, und dort jagten wir vorwärts. Dort, wo wir an jenem Sommerabend – tausend Jahre war es wohl her – in der Dämmerung geritten waren, als wir, Jonathan und ich, gemächlich unseres Weges zogen, zu unserem ersten Lagerfeuer. So sollte man an Flüssen entlangreiten – und nicht wie jetzt, dass die Pferde fast zusammenbrachen.

Am wildesten ritt Orwar. Er ritt ja heim ins Heckenrosental. Jonathan konnte nicht Schritt halten. Und Pärk gewann immer mehr an Boden, ich begriff erst nicht, wieso. Bis ich schließlich erkannte, dass es meine Schuld war. Einen schnelleren Reiter als Jonathan gab es nicht, keiner hätte ihn je einholen können, wenn er allein auf dem Pferd gesessen hätte. So aber musste er auf mich Rücksicht nehmen und das behinderte ihn.

Dieser Ritt entscheidet über das Schicksal des Heckenrosentals, hatte Jonathan gesagt. Wie er aber endete, das hing von mir ab, so schrecklich war es! Und er konnte nur schlimm enden, das merkte ich immer deutlicher. Jedes Mal, wenn ich mich umdrehte und zurücksah, waren uns die schwarzen Helme ein wenig näher gekommen. Manchmal verbarg ein Hügel oder ein Gebüsch sie, aber gleich darauf waren sie wieder da, kamen unerbittlich näher und näher.

Jonathan wusste jetzt ebenso gut wie ich, dass es für uns kein Entkommen mehr gab. Nicht für uns beide. Und Jonathan musste gerettet werden! Meinetwegen durfte er nicht gefasst werden. Deshalb sagte ich: »Jonathan, tu jetzt, was ich dir sage! Wirf mich hinter einer Biegung ab, wenn sie es nicht sehen können! Hol Orwar ein, reit zu!«

Zunächst war er verdutzt, das merkte ich. Doch nicht so verdutzt wie ich über mich selber.

»Traust du dir das wirklich zu?«, fragte Jonathan.

»Nein, aber ich will es trotzdem«, sagte ich.

»Mutiger kleiner Krümel«, sagte er. »Ich komme zurück und hole dich. Sobald Orwar bei Matthias in Sicherheit ist, komme ich.«

»Versprichst du es?«, fragte ich.

»Natürlich, was glaubst du denn?«, sagte er.

Nun waren wir zu dem Weidenbaum gekommen, wo wir gebadet hatten, und ich sagte: »Ich versteck mich in unserem Baum. Hol mich da ab!«

Mehr konnte ich nicht sagen, denn jetzt waren wir im Schutz eines Hügels und Jonathan hielt an, so dass ich vom Pferd rutschen konnte. Dann galoppierte er los. Ich rollte mich flink zur Seite in eine Mulde. Von dort aus hörte ich die Verfolger vorbeidonnern und sah Pärks dummes Gesicht. Er bewegte den Unterkiefer hin und her, als wolle er beißen – und dem Kerl hatte Jonathan das Leben gerettet!

Schon hatte Jonathan Orwar eingeholt, ich sah sie zusammen verschwinden und ich war so froh. Ja, reit du nur, Pärk, dachte ich, wenn du glaubst, dass das hilft! Orwar und Jonathan siehst du nie wieder.

Ich blieb in meiner Mulde liegen, bis auch Pärk und seine Leute außer Sicht waren. Dann rannte ich zum Fluss hinunter, zu meinem Baum. Es war schön, in die grüne Krone zu klettern und es sich in einer Astgabel gemütlich zu machen. Denn ich war müde.

Dicht neben dem Baum schaukelte ein kleines Ruderboot am Ufer. Es musste sich weiter oben am Fluss losgerissen haben, denn es war nicht vertäut. Der Besitzer wird wohl recht traurig sein, dachte ich. Ja, ich saß dort auf der Weide und dachte an dies und jenes. Ich schaute auf das rauschende Wasser und zu Pärks Klippe hinüber. Da sollte er jetzt sitzen, dieser Schweinehund, dachte ich. Dann sah ich den Katlaberg jenseits des Flusses und ich konnte nicht fassen, dass jemand so grausam sein konnte, andere Menschen in solche schrecklichen Höhlen einzusperren.

Natürlich dachte ich auch an Orwar und Jonathan und wünschte so stark, dass es fast schmerzte, sie könnten sich durch unseren unterirdischen Gang zu Matthias retten, ehe Pärk dort anlangte. Ich malte mir aus, was Matthias sagen würde, wenn er Orwar im Schlupf fand, wie froh er dann sein würde. An all dies dachte ich.

Es begann schon zu dämmern und erst jetzt wurde mir klar, dass ich vielleicht die ganze Nacht hier ausharren musste. Bevor es dunkel wurde, konnte Jonathan bestimmt nicht hier sein. Mir wurde ein wenig unheimlich zumute. Mit der Abenddämmerung überfiel mich aufs Neue Angst und ich kam mir sehr verlassen vor.

Da sah ich plötzlich oben auf der Uferböschung eine Frau zu Pferde. Es war Sophia. Wirklich, es war Sophia, nie hatte ich mich mehr gefreut sie zu sehen!

»Sophia«, rief ich, »Sophia, ich bin hier!«

Ich kletterte von der Weide hinunter und winkte. Es dauerte eine Weile, bis sie begriff, dass ich es war.

»Aber Karl«, rief sie, »wie kommst du denn hierher? Wo ist Jonathan? Warte, wir kommen zu dir hinunter, wir müssen ohnehin unsere Pferde tränken.«

Da erst sah ich die beiden Männer hinter ihr, sie waren auch zu Pferde. Als ersten erkannte ich Hubert. Der zweite war verdeckt, doch dann ritt er ein Stückchen vor. Und ich sah ihn. Es war Jossi!

Aber das *konnte* doch nicht Jossi sein! Ich glaubte schon, ich hätte den Verstand verloren und sähe Gespenster. Sophia konnte doch nicht mit Jossi kommen! Was war denn da schief gegangen? War Sophia am Ende auch verrückt geworden? Oder hatte ich nur geträumt, dass Jossi ein Verräter war? Nein, nein, ich hatte es nicht geträumt, er war ein Verräter! Und ich sah auch keine Gespenster, denn jetzt kam er auf mich zugeritten. Was würde nun geschehen? Hilfe, was sollte bloß geschehen?

Er kam zum Fluss heruntergeritten und rief schon von weitem:

»Schau an, Karlchen Löwenherz, dass man dich hier wiedersieht!«

Sie kamen alle drei. Ich stand ganz still unten am Fluss und erwartete sie und hatte nur einen Gedanken im Kopf: Hilfe, was wird jetzt geschehen?

Sie sprangen vom Pferd und Sophia kam auf mich zugelaufen und umarmte mich. Sie freute sich sehr, ihre Augen strahlten.

»Bist du etwa wieder auf der Wolfsjagd?«, fragte Hubert und lachte.

Ich starrte ihn nur stumm an. »Wo wollt ihr hin?«, brachte ich schließlich mühsam hervor.

»Jossi will uns zeigen, wo man am besten die Mauer durchbrechen kann«, sagte Sophia. »Wir müssen es wissen – für den Tag des Kampfes.«

»Ja, unbedingt«, bestätigte Jossi. »Ehe wir angreifen, müssen wir einen fertigen Plan haben.«

In mir kochte es. Dein Plan ist jedenfalls fertig, dachte ich. Ich wusste ja, weshalb er gekommen war. Er wollte Sophia und Hubert in eine Falle locken. Geradewegs ins Verderben würde er sie führen, falls niemand ihn daran hinderte. Aber irgendjemand musste ihn daran hindern, dachte ich. Dann begriff ich: Hilfe, ich selber muss es tun! Und ich durfte nicht zögern. Es musste gleich geschehen. Wie schwer es mir auch fiel, ich musste es tun und ich musste es jetzt tun. Aber wie sollte ich es anfangen?

»Sophia, wie geht es Bianca?«, fragte ich schließlich.

Sophia sah mich traurig an.

»Bianca ist aus dem Heckenrosental nie zurückgekehrt«, sagte sie. »Aber sag, weißt du etwas von Jonathan?«

Sie wollte nicht von Bianca sprechen. Aber ich wusste jetzt, was ich wissen wollte. Bianca war tot. Deshalb also war es möglich, dass Sophia mit Jossi hierher kam. Unsere Botschaft hatte sie nie erreicht.

Auch Jossi erkundigte sich nach Jonathan.

»Er ist doch nicht etwa gefasst worden?«, fragte er.

»Nein, das ist er nicht«, sagte ich und sah Jossi starr in die Augen. »Er hat gerade Orwar aus der Katlahöhle befreit.«

Da wurde Jossis rotes Apfelgesicht blass und er sprach kein Wort mehr. Sophia und Hubert aber jubelten, oh, wie sie jubelten!

Sophia umarmte mich wieder und Hubert sagte: »Eine bessere Nachricht können wir uns nicht wünschen!«

Sie wollten wissen, wie das alles zugegangen war. Aber Jossi nicht; er hatte es plötzlich eilig.

»Das können wir später immer noch hören«, sagte er. »Wir müssen an die bewusste Stelle, bevor es dunkel wird.«

Ja, denn dort liegen Tengils Soldaten wohl schon auf der Lauer, dachte ich.

»Komm, Karl«, sagte Sophia, »wir reiten zusammen auf meinem Pferd, du und ich.«

»Nein!«, rief ich. »Mit dem Verräter da sollst du nirgends hinreiten.«

Ich zeigte auf Jossi und dachte, jetzt bringt er mich um! Mit seinen großen Händen packte er mich am Hals und zischte: »Was sagst du da! Noch ein Wort und es ist aus mit dir!«

Sophia brachte ihn dazu, mich loszulassen. Doch sie war mir böse.

»Karl, es ist niederträchtig, jemanden einen Verräter zu nennen, der es nicht ist. Aber du bist wohl zu klein, um ganz zu verstehen, was du da gesagt hast.«

Und Hubert? Er lachte nur leise vor sich hin.

»Und ich dachte, ich bin der Verräter«, sagte er. »Weil ich doch zu viel weiß und so gern Schimmel mag, oder was du da auf dem Reiterhof an die Küchenwand geschrieben hast.«

»Ja, Karl, du wirfst mit Beschuldigungen nur so um dich«, sagte Sophia streng. »Jetzt ist es aber genug!«

»Hubert, ich bitte dich um Verzeihung«, sagte ich.

»Na, und Jossi!«, fragte Sophia.

»Nein, ich bitte nicht um Verzeihung, wenn ich einen Verräter einen Verräter nenne«, sagte ich.

Aber sie wollten mir einfach nicht glauben. Es war schrecklich, dies zu erkennen. Sie wollten mit Jossi weiterreiten. Sie wollten ihr eigenes Unglück, wie sehr ich es auch zu verhindern suchte.

»Er lockt euch in eine Falle«, schrie ich. »Ich weiß es! Ich weiß es! Fragt ihn doch nach Veder und Kader, mit denen er sich oben in den Bergen trifft! Und fragt ihn danach, wie er Orwar verraten hat!«

Wieder wollte sich Jossi auf mich stürzen, doch er beherrschte sich.

»Wollen wir nun endlich weiter?«, fragte er. »Oder wollen wir wegen der Lügen dieses Jungen alles aufs Spiel setzen?«

Er warf mir einen hasserfüllten Blick zu.

»Und dich hab ich einmal gern gehabt«, sagte er.

»Einmal hab auch ich dich gern gehabt«, erwiderte ich.

Ich sah ihm an, dass er Angst hatte. Die Zeit drängte wirklich für ihn, er musste dafür sorgen, dass Sophia festgenommen und eingesperrt wurde, bevor sie die Wahrheit erkannte. Denn dann galt es sein Leben.

Wie erlöst er sein musste, dass Sophia die Wahrheit nicht hören wollte. Sie vertraute ihm, das hatte sie seit eh und je getan. Und ich war jemand, der bald den einen und bald den andern bezichtigte, wie hätte sie mir auch glauben können?

»Karl, komm jetzt«, sagte sie, »wir beide sprechen uns noch später.«

»Wenn du jetzt mit Jossi reitest, gibt es kein Später!«, rief ich.

Und ich weinte. Nangijala durfte Sophia nicht verlieren! Hier stand ich hilflos und konnte sie nicht retten. Weil sie nicht gerettet werden wollte.

»Karl, komm jetzt«, wiederholte sie nur eigensinnig.

Da fiel mir etwas ein.

»Jossi«, rief ich, »knöpf dein Hemd auf und zeig, was du auf der Brust hast!«

Jossi wurde kreidebleich, selbst Sophia und Hubert mussten es merken, und er legte die Hand über die Brust, als wolle er etwas verbergen.

Eine Weile war es ganz still. Aber dann sagte Hubert mit barscher Stimme: »Jossi, tu, was der Junge sagt!«

Sophia stand stumm da und sah Jossi an. Er wandte den Blick ab.

»Wir haben es doch eilig«, sagte er und ging auf sein Pferd zu.

Sophias Blick wurde hart.

»Nicht *so* eilig«, sagte sie. »Ich bin die Anführerin, Jossi, zeig mir deine Brust!«

Es war schrecklich, Jossi jetzt zu sehen. Schwer atmend stand er dort, wie gelähmt und voller Angst, und wusste nicht, ob er fliehen oder bleiben sollte. Sophia ging auf ihn zu, da stieß er sie mit dem Ellbogen weg. Das aber hätte er nicht tun sollen. Sie packte ihn mit festem Griff und riss sein Hemd auf.

Und dort auf seiner Brust war das Katlazeichen. Ein Drachenkopf war es, er schimmerte wie Blut.

Sophia wurde noch bleicher als Jossi.

»Verräter!«, rief sie. »Verflucht seist du und das, was du Nangijalas Tälern angetan hast!«

Im selben Augenblick kam Leben in Jossi. Mit einem Fluch stürzte er zu seinem Pferd. Aber Hubert war vor ihm da und trat ihm entgegen. Jossi machte kehrt und suchte verzweifelt nach einem andern Fluchtweg. Und er sah das Ruderboot. Mit einem einzigen Satz sprang er hinein, und ehe Sophia und Hubert ihn fassen konnten, hatte die Strömung ihn schon außer Reichweite getragen.

Da lachte er, es war ein grässliches Lachen.

»Dich, Sophia, werde ich bestrafen!«, schrie er. »Wenn ich als Häuptling des Kirschtals zurückkehre, dann strafe ich dich hart!«

Du armer Tor, nie wieder kommst du ins Kirschtal, dachte ich. Zum Karmafall kommst du und nur dahin.

Er versuchte zu rudern, doch wilde Wogen und Strudel packten das Boot und warfen es wie einen Ball hin und her, um es zu zerschmettern. Die Ruder wurden ihm entrissen. Dann schleuderte eine Sturzwelle ihn selber ins Wasser. Da weinte ich und wollte ihn retten, obwohl er ein Verräter war. Aber für Jossi gab es keine Rettung mehr, das wusste ich. Schrecklich war es und traurig, dort in der Dämmerung zu stehen und zuzusehen und zu wissen, dass Jossi allein und hilflos da draußen in den Strudeln war. Noch einmal sahen wir ihn mit einem Wogenkamm auftauchen. Dann versank er wieder. Wir sahen ihn nicht mehr.

Fast dunkel war es geworden, als der Fluss der Uralten Flüsse Jossi packte und zum Karmafall trug.

15

Schließlich kam der Tag des Kampfes, auf den alle gewartet hatten. An diesem Tag brauste ein Sturm über das Heckenrosental hinweg, so dass sich die Bäume bogen und brachen.

Diesen Sturm hatte Orwar aber nicht gemeint, als er gesagt hatte: »Der Sturm der Freiheit wird kommen, er wird die Unterdrücker niederreißen wie stürzende Bäume. Mit Brausen wird er daherkommen und unsere Knechtschaft wird er hinwegfegen und uns endlich wieder frei machen!«

In Matthias' Küche hatte er dies gesagt. Dorthin kamen abends heimlich die Menschen, um ihn zu hören und zu sehen. Ja, ihn und Jonathan wollten sie sehen.

»Ihr beide, ihr seid unser Trost und unsere Hoffnung, ihr seid alles, was wir haben«, sagten sie. Und sie kamen abends zum Matthishof geschlichen, obgleich sie wussten, wie gefährlich es war.

»Sie wollen vom Freiheitssturm hören, genau wie Kinder Märchen hören wollen«, sagte Matthias.

Der Tag des Kampfes war das Einzige, woran sie jetzt dachten und wonach sie sich sehnten. Und das war nicht verwunderlich. Nach Orwars Flucht war Tengil grausamer geworden als je zuvor. Tagtäglich erfand er neue Mittel, die Menschen im Heckenrosental zu quälen und zu strafen, und deshalb hassten sie ihn noch erbitterter und schmiedeten mehr Waffen als je zuvor.

Aus dem Kirschtal strömten immer mehr Freiheitskämpfer zur Hilfe herbei. Sophia und Hubert hatten bei Elfrida in der tiefsten Einöde des Waldes ein Versteck. Bisweilen kam Sophia nachts durch den unterirdischen Gang zu uns und in Matthias' Küche arbeiteten die drei ihre Kampfespläne aus, sie und Orwar und Jonathan.

Ich lag auf meiner Bank und hörte ihnen zu, denn jetzt, wo auch Orwar im Schlupf untergebracht werden musste, schlief ich in der Küche. Jedes Mal, wenn Sophia zu uns kam, sagte sie: »Da ist mein Retter! Ich hab doch nicht vergessen dir zu danken, Karl?«

Und jedes Mal sagte Orwar, ich sei der Held des Heckenrosentals, doch dann musste ich immer an Jossi in dem dunklen Wasser denken und mir wurde traurig zumute.

Sophia sorgte auch dafür, dass das Heckenrosental Brot bekam. In Karren wurde es aus dem Kirschtal über die Berge gebracht und durch den unterirdischen Gang geschmuggelt und mit einem Rucksack auf dem Rücken ging Matthias umher und verteilte es heimlich in den Häusern und auf den Höfen. Bis dahin hatte ich nicht gewusst, dass ein wenig Brot Menschen so glücklich machen kann. Jetzt sah ich es mit eigenen Augen, denn ich begleitete Matthias auf seinen Wanderungen. Ich sah auch, wie sehr die Menschen im Tal litten, und ich hörte sie vom Tag des Kampfes sprechen, nach dem sie sich so sehr sehnten.

Mir freilich graute davor. Schließlich aber sehnte ich selbst den Tag herbei, denn ständig nur darauf warten zu müssen wurde unerträglich. Und auch gefährlich, meinte Jonathan.

»Man kann so viel nicht so lange geheim halten«, sagte er zu Orwar. »Unser Freiheitstraum kann leicht zunichte gemacht werden.«

Ganz gewiss hatte er Recht. Ein Tengilmann brauchte nur den unterirdischen Gang zu entdecken oder bei neuen Haussuchungen Jonathan und Orwar im Schlupf aufzuspüren. Bei dem bloßen Gedanken daran überlief es mich kalt.

Aber die Tengilmänner waren wohl blind und taub, sonst hätten sie doch irgendetwas merken müssen. Hätten sie nur genauer hingehorcht, so hätten sie gehört, dass dieser Freiheitssturm, der bald das ganze Heckenrosental erschüttern sollte, schon zu grollen begann. Sie aber hörten nichts.

Am Vorabend des Kampfes lag ich auf meiner Bank und konnte nicht schlafen. Wegen des tosenden Sturmes draußen und wegen meiner Unruhe. Im Morgengrauen des nächsten Tages sollte der Kampf losbrechen, das war nun beschlossen. Orwar und Jonathan und Matthias saßen am Tisch und besprachen alles und ich lag da und hörte zu. Meistens redete Orwar. Er redete und redete und seine Augen brannten. Mehr als irgendein anderer sehnte er diesen Morgen herbei. Und so war ihr Plan: Zuerst sollten die Wachen am Großen Tor und am Flusstor niedergekämpft werden, damit man Sophia und Hubert einlassen konnte. Dort sollten sie mit ihren Kampfgefährten hineinreiten – Sophia durch das Große Tor und Hubert durch das Flusstor.

»Und dann werden wir gemeinsam siegen oder sterben«, sagte Orwar.

Schnell müsse es gehen, sagte er. Das Tal müsse von allen Tengilmännern befreit und die Tore wieder geschlossen sein, bevor Tengil dort mit Katla erscheinen könne. Denn gegen

Katla gebe es keine Waffen. Nur durch Aushungern sei sie zu besiegen, sagte Orwar.

»Weder Speere noch Pfeile und Schwerter können ihr etwas anhaben«, sagte er. »Und schon die winzigste Flamme aus ihrem Feuer speienden Rachen bringt Lähmung oder Tod.«

»Aber wenn Tengil Katla dort in seinen Bergen hat, was nützt es dann, das Heckenrosental zu befreien?«, fragte ich. »Mit Katla kann er euch wieder unterdrücken, genauso wie jetzt.«

»Er hat uns ja eine Mauer geschenkt, die uns schützt, vergiss das nicht«, sagte Orwar. »Und Tore, die sich vor Ungeheuern verschließen lassen! So fürsorglich war er!«

Im Übrigen brauchte ich Tengil nicht länger zu fürchten, meinte Orwar. Noch am selben Abend würden er und Jonathan und Sophia mit einigen Gefährten in Tengils Burg eindringen, die Leibwache übermannen und mit ihm abrechnen, ehe er von dem Aufstand im Tal etwas gehört hätte. Und Katla werde in ihrer Höhle angekettet bleiben, bis sie so schwach und ausgehungert sei, dass man sie töten könne.

»Eine andere Art, dieses Scheusal umzubringen, gibt es nicht«, sagte Orwar.

Dann sprach er wieder davon, wie rasch das Tal von allen Tengilmännern befreit werden müsse, und da sagte Jonathan: »Befreien? Du meinst töten?«

»Ja, was denn sonst?«, sagte Orwar.

»Ich kann aber nicht töten«, sagte Jonathan, »das weißt du doch, Orwar!«

»Nicht einmal, wenn es um dein eigenes Leben geht?«, fragte Orwar.

»Nein, nicht einmal dann«, sagte Jonathan.

Das konnte Orwar nicht verstehen und auch Matthias konnte es kaum begreifen.

»Wenn alle wären wie du«, sagte Orwar, »dann würde das Böse ja bis in alle Ewigkeit herrschen!«

Aber da sagte ich, wenn alle wären wie Jonathan, dann gäbe es nichts Böses.

Mehr sagte ich an diesem Abend nicht. Erst als Matthias kam, um mir Gute Nacht zu sagen, flüsterte ich ihm zu: »Ich hab solche Angst, Matthias!«

Und Matthias streichelte mich und sagte: »Ich auch!«

Jedenfalls musste Jonathan Orwar versprechen im Kampfgetümmel umherzureiten, um die anderen zu dem zu ermutigen, was er selber nicht tun konnte und wollte.

»Die Menschen im Heckenrosental müssen dich sehen«, sagte Orwar. »Sie müssen uns beide sehen.«

Da sagte Jonathan: »Ja, wenn ich muss, dann muss ich.«

Doch im Schein der einzigen kleinen Kerze, die in der Küche brannte, konnte ich sehen, wie blass er war.

Nach der Rückkehr aus der Katlahöhle hatten wir Grim und Fjalar bei Elfrida im Wald zurücklassen müssen. Sophia sollte sie am Tag des Kampfes, wenn sie durch das Große Tor geritten kam, mitbringen, so war es beschlossen worden.

Was ich zu tun hatte, war auch bestimmt worden. Ich sollte nichts tun, nur abwarten, bis alles vorbei war. Das hatte Jonathan gesagt. Ich sollte mutterseelenallein in Matthias' Küche hocken und warten.

In dieser Nacht schlief keiner viel.

Und dann kam der Morgen.

Ja, dann kam der Morgen und mit ihm der Tag des Kampfes. Oh, wie mir an diesem Tag das Herz wehtat. Ich sah und hörte mehr als genug von dem Blutvergießen und den Schreien, denn sie kämpften auf dem Abhang vor dem Matthishof. Und dort sah ich auch Jonathan umherreiten: Der Sturm zerrte an seinem Haar und er war umgeben von Kampfgetümmel, sausenden Schwertern, surrenden Speeren, fliegenden Pfeilen und Schreien, immer wieder Schreien. Und ich sagte zu Fjalar, wenn Jonathan stirbt, dann will auch ich sterben.

Ja, Fjalar war bei mir in der Küche. Es brauchte niemand zu wissen, aber ich musste ihn einfach bei mir haben. Allein konnte ich nicht sein, das ging nicht. Auch Fjalar sah durch das Fenster, was draußen auf dem Hang geschah. Und er wieherte. Ob er zu Grim hinauswollte oder Angst hatte wie ich, weiß ich nicht.

Denn Angst hatte ich ... Angst, Angst!

Ich sah Veder, von Sophias Speer getroffen, zu Boden sinken, sah, wie Kader Orwars Schwert zum Opfer fiel, Dodik ebenfalls und manche andere, die links und rechts stürzten, und mitten unter ihnen ritt Jonathan, der Sturm zerrte an seinem Haar und er wurde blasser und blasser und das Herz tat mir immer weher.

Und dann kam das Ende!

Viele Schreie hörte ich an diesem Tag im Heckenrosental, einen aber, der keinem anderen glich.

Mitten im Kampf und durch den Sturm hindurch dröhnte eine Kriegslure und ein Ruf ertönte: »Katla kommt!«

Und dann kam der Schrei. Katlas Hungerschrei, den alle so gut kannten. Da sanken die Schwerter und die Speere und Pfeile und die Kämpfenden konnten nicht mehr kämpfen. Denn sie wussten, dass es keine Rettung gab. Nur das Tosen des Sturms und Tengils Kriegslure und Katlas Schreie waren nun im Tal zu hören und Katla spie Feuer und tötete alle, auf die Tengil zeigte. Er zeigte und zeigte und sein grimmiges Gesicht war dunkel vor Bosheit. Jetzt war für das Heckenrosental das Ende gekommen, das wusste ich.

Ich wollte es nicht sehen, ich wollte nicht sehen ... nichts sehen. Nur Jonathan, ich musste wissen, wo er war. Und ich sah ihn ganz nahe beim Matthishof. Dort saß er auf Grim, er war blass und still und der Sturm zerrte an seinem Haar.

»Jonathan«, schrie ich, »Jonathan, hörst du mich?«

Doch er hörte mich nicht. Ich sah ihn sein Pferd anspornen und dann flog er den Hang hinab, wie ein Pfeil flog er, schneller ist nie jemand geritten, das weiß ich. Er flog auf Tengil zu ... und flog an ihm vorbei ...

Und wieder ertönte die Kriegslure. Aber jetzt war es Jonathan, der sie blies. Er hatte sie Tengil entrissen und er stieß in das Horn, dass es weithin hallte. Katla sollte merken, dass sie einen neuen Herrn bekommen hatte.

Dann wurde es still. Selbst der Sturm flaute ab. Alle wurden still und warteten nur. Tengil saß wie erstarrt vor Schrecken auf seinem Pferd und wartete auch. Und Katla wartete.

Noch einmal stieß Jonathan ins Horn.

Da schrie Katla und wandte sich gegen den, dem sie bis dahin blind gehorcht hatte.

»Auch Tengils Stunde schlägt einmal«, hatte Jonathan gesagt, daran musste ich jetzt denken.

Sie hatte geschlagen.

So endete der Tag des Kampfes im Heckenrosental. Viele hatten für die Freiheit ihr Leben gelassen. Ja, es war jetzt frei, ihr Tal. Doch die Toten lagen da und wussten es nicht.

Matthias war tot, ich hatte keinen Großvater mehr. Hubert war tot, er war als Erster gefallen. Er kam nicht einmal durch das Flusstor, denn schon dort stieß er auf Tengil und seine Soldaten. Schlimmer noch, er traf dort auf Katla. Gerade an diesem Tage hatte Tengil sie mitgenommen, um dem Heckenrosental wegen Orwars Flucht die letzte große Strafe zu erteilen. Dass es der Tag des Kampfes war, wusste er nicht. Und als es ihm klar wurde, war er bestimmt froh, Katla bei sich zu haben. Aber jetzt war er tot, dieser Tengil, ebenso tot wie die anderen.

»Unser Peiniger lebt nicht mehr«, sagte Orwar. »Unsere Kinder werden in Freiheit aufwachsen und glücklich sein. Bald ist das Heckenrosental wieder so, wie es einst gewesen ist.«

Ich dachte jedoch: So wie früher wird das Heckenrosental nie wieder sein. Nicht für mich. Nicht ohne Matthias.

Orwar hatte einen Schwerthieb über den Rücken bekommen, aber er schien ihn nicht zu spüren oder sich nicht darum zu kümmern. Seine Augen flammten noch immer und er sprach zu den Menschen im Tal.

»Wir werden wieder glücklich sein«, wiederholte er ständig.

Viele weinten an diesem Tag im Heckenrosental. Orwar aber nicht.

Sophia lebte, sie war nicht einmal verwundet. Und jetzt sollte sie ins Kirschtal zurückkehren, sie und alle ihre Gefährten, die noch am Leben waren.

Sie kam zum Matthishof, um uns Lebewohl zu sagen.

»Hier hat Matthias gewohnt«, sagte sie und weinte. Dann umarmte sie Jonathan.

»Komm bald zurück zum Reiterhof«, sagte sie. »Ich werde immer an dich denken, bis ich dich wiedersehe.«

Und dann sah sie mich an.

»Du, Karl, kommst wohl schon mit mir, nicht?«

»Nein«, sagte ich. »Nein, ich bleibe bei Jonathan!«

Ich hatte solche Angst, dass Jonathan mich mit Sophia wegschicken würde. Aber er tat es nicht.

»Ich möchte Karl gern bei mir behalten«, sagte er.

Unten am Hang vor dem Matthishof lag Katla wie ein großer, unheimlicher Klumpen, still und gesättigt von Blut. Hin und wieder sah sie Jonathan an wie ein Hund, der wissen möchte, was sein Herr will. Sie rührte jetzt niemanden an, aber solange sie hier lag, lag auch der Schrecken über dem Tal. Niemand wagte sich zu freuen und Orwar meinte, das Heckenrosental könne weder seine Freiheit bejubeln noch seine Toten betrauern, solange sich Katla hier befinde. Und nur ein Einziger könne sie in ihre Höhle zurückführen – Jonathan.

»Willst du dem Heckenrosental noch dieses letzte Mal helfen?«, fragte er. »Wenn du sie dorthin bringst und ankettest, dann erledige ich den Rest, sobald die Zeit gekommen ist.«

»Ja«, antwortete Jonathan, »ein letztes Mal will ich dir helfen, Orwar!«

Wie ein Ritt am Fluss entlang sein soll, das weiß ich ganz gut. Man reitet gemächlich seines Weges, sieht den Fluss dort unten dahineilen, sieht das Wasser blinken und die Weidenzweige im Wind schaukeln. Aber man sollte dabei nicht einen Drachen auf den Fersen haben.

Doch das hatten wir. Wir hörten das schwere Trampeln von Katlas Tatzen hinter uns. Dump, dump, dump, dump, es klang bedrohlich und Grim und Fjalar gerieten ganz außer sich. Wir konnten sie kaum zügeln. Hin und wieder stieß Jonathan ins Horn. Auch das klang abscheulich und sicher hasste Katla diesen Ton. Aber wenn sie ihn hörte, musste sie gehorchen. Es war das Einzige, was mich auf unserm Ritt tröstete.

Wir sprachen kein Wort miteinander, Jonathan und ich. Wir ritten, so schnell wir konnten. Vor Einbruch der Nacht und der Dunkelheit musste Katla in ihrer Höhle, wo sie sterben sollte, angekettet sein. Dann würden wir sie nie wieder sehen und wir würden vergessen, dass es ein Land wie Karmanjaka gab. Die Berge der Uralten Berge konnten dort bis in alle Ewigkeit stehen bleiben, wir jedenfalls würden nie wieder unsern Fuß dorthin setzen, das hatte mir Jonathan versprochen. Gegen Abend wurde es still, der Sturm war abgeflaut, es war ruhig und warm. Und es war so schön, als die Sonne sank. An einem solchen Abend sollte man eigentlich ohne Angst dahinreiten, dachte ich.

Ich ließ es Jonathan aber nicht merken, dass ich Angst hatte. Endlich hatten wir den Karmafall erreicht.

»Karmanjaka, hier siehst du uns zum letzten Mal«, sagte Jonathan, als wir über die Brücke ritten. Und er stieß ins Horn.

Katla sah ihren Felsen jenseits des Flusses. Wahrscheinlich wollte sie dorthin, denn sie fauchte aufgeregt. Ihr rauchender Atem traf Grims Hinterbeine.

Und da geschah es. Außer sich vor Entsetzen preschte Grim vor und prallte gegen das Brückengeländer. Ich schrie auf, denn ich glaubte, jetzt stürzt Jonathan kopfüber in den Karmafall. Aber er stürzte nicht, sondern die Lure fiel ihm aus der Hand und verschwand tief unten im brausenden Wasser.

Katlas grausame Augen hatten alles gesehen und sie wusste, dass sie jetzt keinen Herrn mehr hatte. Da brüllte sie auf und schon sprühte Feuer aus ihren Nüstern.

Oh, wie wir ritten, um unser armes Leben zu retten! Wie wir ritten, wie wir ritten! Über die Brücke und den Weg hinauf zu Tengils Burg mit der fauchenden Katla hinter uns.

Der Pfad wand sich im Zickzack empor durch die Berge der Uralten Berge. Und nicht einmal im Traum konnte etwas so fürchterlich sein, wie hier von Kehre zu Kehre vor Katla zu fliehen. Sie war uns so dicht auf den Fersen, dass ihr züngelndes Feuer uns fast traf. Einmal schoss eine Flamme ganz nah an Jonathan heran. Einen grauenvollen Augenblick lang glaubte ich schon, er sei getroffen, aber er schrie mir zu: »Halt nicht an! Reite! Reite!«

Der arme Grim, der arme Fjalar, Katla hetzte sie, dass sie sich fast zuschanden galoppierten, um ihr zu entkommen. Den Pfad hinauf durch alle Windungen jagten sie dahin, dass der Schaum nur so flog, schneller und immer schneller, bis zum Äußersten. Doch da war Katla zurückgeblieben und sie brüllte vor Wut. Nun war sie auf ihrem Grund und Boden, dort durfte ihr niemand entkommen. Ihr Dump, Dump, Dump wurde hastiger und ich wusste, sie würde schließlich gewinnen. Durch ihre unerbittliche Grausamkeit.

Lange, lange ritten wir so und ich hatte keine Hoffnung mehr auf Rettung.

Wir waren schon ein gutes Stück in die Berge hinaufgekommen. Noch hatten wir einen Vorsprung und wir konnten Katla unter uns auf der schmalen Felsplatte über dem Karmafall sehen, an der der Pfad entlangführte. Dort blieb sie stehen. Denn dies war ihr Felsen. Hier stand sie immer und starrte in die Tiefe und das tat sie auch jetzt. Wie gegen ihren Willen blieb sie stehen und starrte zu dem Wasserfall hinunter. Rauch und Feuergarben stoben aus ihren Nüstern und sie trampelte ungeduldig hin und her. Dann aber schien sie sich wieder zu erinnern und glotzte mit glühenden Augen zu uns hinauf.

Du Grausame, dachte ich, du Grausame, warum bleibst du nicht auf deinem Felsen?

Aber ich wusste, sie würde kommen. Sie würde kommen ...

Wir waren bis zu dem Findling gelangt, hinter dem wir ihren schrecklichen Kopf hatten hervorlugen sehen, damals, als wir nach Karmanjaka gekommen waren. Und plötzlich konnten unsere Pferde nicht mehr weiter. Es ist furchtbar, wenn ein Pferd auf einmal unter einem wegsackt. Und das geschah jetzt. Grim und Fjalar brachen ganz einfach zusammen. Und wenn wir bisher vielleicht doch noch auf ein Wun-

der gehofft hatten, das uns retten könnte, so mussten wir diese Hoffnung nun endgültig fahren lassen.

Wir waren verloren, das wussten wir. Und Katla wusste es auch. Welch teuflischer Triumph jetzt in ihren Augen aufblitzte! Ganz still stand sie auf ihrem Felsen und glotzte uns an. Mir war, als grinse sie höhnisch. Jetzt hatte sie es nicht mehr eilig. Sie schien zu denken: Ich komme, wann ich will. Aber ihr könnt gewiss sein, dass ich komme!

Jonathan sah mich so lieb an, wie er es immer tat.

»Verzeih mir, Krümel, dass ich das Horn fallen ließ«, sagte er. »Aber ich konnte nichts dafür.«

Ich hätte Jonathan gern gesagt, dass es für mich nie, nie, nie etwas zu verzeihen gab, aber ich war stumm vor Entsetzen.

Katla stand noch immer dort unten. Wieder sprühte Feuer und Rauch aus ihren Nüstern, wieder trampelte sie hin und her. Damit ihre Feuerstrahlen uns nicht trafen, hatten wir Schutz hinter dem Findling gesucht. Ich klammerte mich an Jonathan, oh, wie fest ich mich an ihn klammerte, und er sah mich mit Tränen in den Augen an.

Dann aber packte ihn eine rasende Wut. Er beugte sich vor und schrie zu Katla hinunter: »Du rührst Krümel nicht an! Hörst du mich, du Scheusal, du rührst Krümel nicht an, denn sonst . . .«

Er fasste den Stein, als wäre er ein Riese und könnte sie damit erschrecken. Doch er war kein Riese und konnte Katla nicht erschrecken. Der Stein aber lag lose ganz dicht an der Felskante.

Weder Speer noch Pfeile noch Schwerter können Katla etwas anhaben, hatte Orwar gesagt. Er hätte noch sagen können, dass selbst ein Stein dies nicht vermochte, wie groß er auch war.

Der Findling, den Jonathan nun auf sie hinabwälzte, tötete sie auch nicht. Aber er traf sie. Und mit einem Schrei, der die Berge zum Wanken bringen konnte, stürzte sie rücklings hinab in den Karmafall.

16

Nein, Jonathan tötete Katla nicht. Karm tat es. Und Katla tötete Karm. Vor unseren Augen. Wir sahen es. Niemand außer Jonathan und mir hat gesehen, wie zwei Ungeheuer aus der Urzeit einander vernichteten. Wir sahen sie im Karmafall kämpfen, bis sie tot waren.

Als Katla den Schrei ausgestoßen hatte und verschwunden war, konnten wir es zunächst gar nicht glauben. Es war nicht zu fassen, dass sie wirklich nicht mehr da war. Wo sie versunken war, sahen wir nur wirbelnden Gischt. Sonst nichts. Keine Katla.

Doch dann sahen wir den Lindwurm. Er erhob sein grünes Haupt aus dem Schaum und sein Schwanz peitschte das Wasser. Er war furchtbar – ein Riesenwurm, ebenso lang, wie der Fluss breit war, genau wie Elfrida ihn geschildert hatte.

Der Lindwurm im Karmafall, von dem man ihr als Kind erzählt hatte, er war genauso wenig ein Märchen wie Katla. Es gab ihn und er war ein ebenso scheußliches Untier wie sie. Sein Kopf schoss nach allen Seiten, er suchte – und dann entdeckte er Katla. Sie tauchte aus der Tiefe auf und befand sich plötzlich inmitten der Strudel und mit einem Zischen warf sich der Lindwurm über sie und wand sich um ihren Leib. Sie sprühte ihr todbringendes Feuer gegen ihn, doch er würgte sie so heftig, dass das Feuer in ihrer Brust erstickte. Da schnappte sie nach ihm und auch er biss zu. Sie verbissen sich ineinander, um sich zu töten. Vielleicht hatten sie sich seit Urzeiten danach gesehnt, sie hieben und bissen wie Rasende zu und wälzten ihre grauslichen Leiber über- und umeinander. Katla brüllte hin und wieder auf, Karm aber schnappte nur stumm zu und schwarzes Drachenblut und grünes Lindwurmblut flossen in den weißen Gischt des Wasserfalls und färbten ihn dunkel und giftig.

Wie lange sie kämpften? Ich weiß es nicht. Mir kam es vor, als hätte ich tausend Jahre lang dort auf dem Pfad gestanden und während der ganzen Zeit nichts anderes wahrgenommen als diese beiden wütenden Ungeheuer in ihrem letzten Kampf.

Ein langer und schrecklicher Kampf war es, aber schließlich nahm er ein Ende. Ein markerschütternder Schrei ertönte, es war Katlas Todesschrei. Dann war sie still. Und Karm hatte keinen Kopf mehr. Dennoch gab sein Leib Katla nicht frei und eng verschlungen sanken sie zusammen in die Tiefe. Nun gab es keinen Karm und keine Katla mehr, sie waren verschwunden, als hätte es sie nie gegeben. Der Gischt wurde wieder weiß, die gewaltigen Wassermassen des Karmafalles spülten das giftige Blut der Ungeheuer fort. Alles war wie einst. So wie es seit Urzeiten gewesen war.

Schwer atmend standen wir auf dem Pfad. Obwohl jetzt alles vorüber war, konnten wir lange nicht sprechen. Schließlich sagte Jonathan: »Wir müssen weg von hier! Schnell! Es wird bald dunkel und ich möchte nicht, dass wir in Karmanjaka von der Nacht überrascht werden.«

Der arme Grim und der arme Fjalar! Ich weiß nicht, wie

wir sie wieder auf die Füße brachten und wie wir von dort wegkamen. Sie waren so erschöpft, dass sie sich kaum auf den Beinen halten konnten.

Jedenfalls verließen wir Karmanjaka und ritten ein letztes Mal über die Brücke. Danach aber konnten die Pferde keinen Schritt mehr tun. Kaum hatten wir das andere Ende der Brücke erreicht, sanken sie nieder und blieben liegen. Es war, als dächten sie: Jetzt haben wir euch nach Nangijala gebracht und nun ist es genug!

»Wir machen uns ein Lagerfeuer an unserer alten Stelle«, sagte Jonathan. Er meinte den Felsen, wo wir während der Gewitternacht gerastet und von wo aus ich Ḳatla zum ersten Mal gesehen hatte. Bei der bloßen Erinnerung daran überlief es mich kalt und ich hätte unser Nachtlager lieber woanders aufgeschlagen. Aber wir konnten ja jetzt nicht weiter.

Zunächst mussten die Pferde getränkt werden. Wir brachten ihnen Wasser, doch sie wollten nicht trinken. Selbst dazu waren sie zu erschöpft. Da bekam ich Angst.

»Jonathan, mit ihnen ist etwas nicht in Ordnung«, sagte ich. »Glaubst du, es wird besser, wenn sie sich ausgeruht haben?«

»Ja, alles wird gut, sie müssen nur ruhen«, sagte er.

Ich streichelte Fjalar, der mit geschlossenen Augen dalag.

»Was für einen Tag du hinter dir hast, armer Fjalar«, sagte ich. »Aber morgen wird alles gut, das hat Jonathan gesagt.«

Wir machten uns ein Feuer genau an der Stelle, wo wir unser erstes hatten. Und eigentlich war dieser Gewitterfelsen der beste Platz für ein Lagerfeuer, der sich denken ließ, wenn man nur hätte vergessen können, dass Karmanjaka so nahe lag. Hinter uns ragten hohe Felswände auf, sie waren noch warm von der Sonne und schützten uns vor dem Wind. Vor uns fiel der Felsen senkrecht zum Karmafall ab und auch an der Brückenseite ging es steil abwärts zu einer grünen Wiese. Sie war nur ein kleines grünes Fleckchen, tief, tief unter uns.

Wir saßen an unserem Lagerfeuer und sahen, wie sich die Dämmerung über die Berge der Uralten Berge und den Fluss der Uralten Flüsse senkte. Ich war müde und ich dachte, einen längeren und schwereren Tag habe ich noch nie durchlebt. Vom Morgengrauen bis zur Abenddämmerung bestand er nur aus Blutvergießen und Schrecken und Tod. Es gibt Abenteuer, die es nicht geben dürfte, hatte Jonathan einmal gesagt und davon hatten wir an diesem Tag mehr als genug erlebt. Der Tag des Kampfes – er war wirklich lang und schwer gewesen, doch jetzt war er endlich vorbei.

Doch der Kummer war nicht vorbei. Ich dachte an Matthias und ich wurde so traurig. Ich fragte Jonathan: »Wo, glaubst du, ist Matthias jetzt?«

»Er ist in Nangilima«, antwortete Jonathan.

»Nangilima, davon hab ich noch nie gehört«, sagte ich.

»Doch, natürlich«, sagte Jonathan. »Erinnerst du dich an jenen Morgen, als ich das Kirschtal verließ und du solche Angst hattest? Weißt du nicht mehr, was ich damals gesagt habe? ›Komme ich nicht zurück, dann sehen wir uns in Nangilima.‹ Und dort ist Matthias jetzt.«

Und er erzählte mir von Nangilima. Er hatte mir schon lange nichts mehr erzählt, wir hatten keine Zeit dazu gehabt. Doch jetzt, als er am Feuer saß und von Nangilima sprach, war es fast so, als säße er zu Hause in der Stadt bei mir auf der Bettkante.

»In Nangilima . . . in Nangilima«, sagte Jonathan mit dieser Stimme, die er immer hatte, wenn er etwas erzählte. »Dort ist noch die Zeit der Lagerfeuer und der Sagen.«

»Der arme Matthias«, sagte ich, »dann gibt es dort also auch Abenteuer, die es nicht geben dürfte.«

Aber da erklärte mir Jonathan, dass in Nangilima nicht die grausame Sagenzeit herrsche, sondern eine heitere Zeit voller Freude und Spiel. Ja, dort spielten die Menschen, natürlich arbeiteten sie auch und halfen einander bei allem, aber sie spielten auch viel und sangen und tanzten und erzählten Märchen. Bisweilen erschreckten sie die Kinder mit bösen und grausamen Sagen von Ungeheuern, solchen wie Katla und Karm, und von grimmigen Männern, solchen wie Tengil. Hinterher aber lachten sie darüber.

»Habt ihr etwa Angst bekommen?«, fragten sie dann die Kinder. »Das sind doch nur Märchen. So etwas hat es nie gegeben. Jedenfalls nicht hier in unseren Tälern.«

Matthias gehe es sehr gut in Nangilima, versicherte Jonathan. Er habe einen alten Hof im Apfeltal, es sei der schönste Hof in dem schönsten und grünsten Tal von Nangilimas Tälern.

»Bald ist es Zeit, auf dem Hof die Äpfel zu pflücken«, sagte Jonathan. »Dann müssten wir dort sein und ihm helfen. Er ist zu alt, um auf Leitern zu klettern.«

»Ich wünschte, wir könnten zu ihm«, sagte ich. Alles, was Jonathan über Nangilima gesagt hatte, klang so gut und ich sehnte mich sehr nach Matthias.

»Meinst du wirklich?«, sagte Jonathan. »Ja, warum nicht?

Wir könnten dann bei Matthias wohnen. Auf dem Matthishof im Apfeltal in Nangilima.«

»Erzähl mir, wie es wäre«, sagte ich.

»Oh, es wäre wunderbar«, sagte Jonathan. »Wir könnten in
den Wäldern umherreiten und uns bald hier, bald da ein Lagerfeuer machen. Wenn du wüsstest, was für Wälder es in
den Tälern von Nangilima gibt! Und tief drinnen in den
Wäldern liegen klare kleine Seen. Wir könnten uns jeden
Abend an einem anderen See ein Lagerfeuer machen und
Tage und Nächte fortbleiben und dann wieder nach Hause
zu Matthias zurückkehren.«

»Und ihm bei der Apfelernte helfen«, fiel ich ein. »Aber
dann müssten Sophia und Orwar sich allein um das Kirschtal
und das Heckenrosental kümmern, ohne dich, Jonathan.«

»Ja, warum nicht?«, sagte Jonathan. »Sophia und Orwar
brauchen mich nicht mehr, sie können in ihren Tälern selber
nach dem Rechten sehen.«

Danach verstummte er. Wir schwiegen beide. Ich war
müde und mir war gar nicht froh zumute. Von Nangilima zu
hören, das so weit von uns entfernt lag, das war kein Trost.

Es dunkelte mehr und mehr und die Berge wurden
schwärzer und schwärzer. Große schwarze Vögel schwebten
über uns und krächzten traurig, alles war trostlos. Der Karmafall toste, ich hatte dieses Getose satt.

Es erinnerte mich nur an das, was ich so gern vergessen
wollte. Traurig, traurig war alles miteinander und froh werde
ich wohl nie mehr werden, dachte ich.

Ich rückte näher an Jonathan heran. Er saß ganz still da, an
die Bergwand gelehnt, und sein Gesicht war blass. Er sah aus
wie ein Märchenprinz, wie ein blasser und müder Märchen-

prinz. Armer Jonathan, auch du bist nicht froh, dachte ich, oh, wenn ich dich doch ein bisschen froh machen könnte!

Mitten in unser Schweigen hinein sagte Jonathan plötzlich: »Du, Krümel, ich muss dir etwas sagen!«

Sofort bekam ich Angst: Wenn er so sprach, dann war es sicher etwas Trauriges.

»Was musst du mir sagen?«, fragte ich.

Er strich mir mit dem Zeigefinger über die Wange.

»Hab keine Angst, Krümel... aber weißt du noch, was Orwar gesagt hat? Dass die allerwinzigste Flamme von Katlas Feuer ausreicht einen Menschen zu lähmen oder zu töten, erinnerst du dich, dass er das gesagt hat?«

»Ja, aber warum musst du jetzt davon reden?«, fragte ich.

»Weil«, sagte Jonathan, »weil eine winzige Flamme von Katlas Feuer mich getroffen hat, als wir vor ihr flohen.«

Das Herz war mir den ganzen Tag über schwer gewesen von all dem Kummer und dem Schrecken, aber ich hatte nicht geweint. Jetzt brach das Weinen fast wie ein Schrei aus mir heraus.

»Musst du jetzt wieder sterben, Jonathan?«, schluchzte ich.

Und da sagte Jonathan:

»Nein, aber ich möchte es gern. Denn ich werde mich nie wieder bewegen können.«

Er erklärte mir, wie grausam Katlas Feuer war. Wenn es nicht tötete, tat es etwas noch viel Schlimmeres. Es zerstörte etwas in einem, so dass man gelähmt wurde.

Man merkte es nicht gleich, es kam geschlichen, langsam und unerbittlich.

»Ich kann nur noch die Arme bewegen«, sagte er. »Und bald kann ich auch das nicht mehr.«

»Aber das geht doch vielleicht vorüber«, sagte ich und weinte.

»Nein, Krümel, es geht nie vorüber«, sagte Jonathan. »Nur wenn ich nach Nangilima kommen könnte!«

Nur wenn er nach Nangilima kommen könnte. – Jetzt be-

griff ich! Er wollte mich wieder allein lassen, ich wusste es! Schon einmal war er ohne mich davongegangen, nach Nangijala . . .

»Nein, nicht noch einmal«, schrie ich. »Nicht ohne mich! Du darfst nicht ohne mich nach Nangilima!«

»Möchtest du denn mitkommen?«, fragte er.

»Ja, was denn sonst!«, rief ich. »Habe ich dir nicht gesagt, wo du hingehst, da gehe ich auch hin?«

»Das hast du gesagt und das ist mein Trost«, sagte Jonathan. »Aber dorthin zu kommen ist nicht leicht.«

Eine Weile schwieg er, doch dann fuhr er fort:

»Weißt du noch – damals, als wir gesprungen sind? Dieser schreckliche Augenblick, als es brannte und wir auf den Hof hinuntersprangen. Damals kam ich nach Nangijala, erinnerst du dich?«

»Und ob ich mich erinnere!«, sagte ich und weinte noch mehr. »Wie kannst du nur so fragen? Weißt du denn nicht, dass ich seither immer daran gedacht habe?«

»Doch, ich weiß«, sagte Jonathan und streichelte mir wieder die Wange. »Ich dachte, wir könnten vielleicht noch einmal springen. Hier den Abgrund hinunter. Dort unten auf die Wiese.«

»Ja, dann sterben wir«, sagte ich. »Aber kommen wir dann auch nach Nangilima?«

»Ja, ganz gewiss«, sagte Jonathan. »In dem Augenblick, wo wir dort unten ankommen, sehen wir schon das Licht von Nangilima. Wir sehen die Morgensonne über Nangilimas Tälern leuchten, denn dort ist jetzt Morgen.«

»Dann könnten wir also geradewegs nach Nangilima hineinspringen«, sagte ich und lachte dabei zum ersten Mal seit langem.

»Das könnten wir«, sagte Jonathan. »Und kaum sind wir dort, sehen wir auch schon vor uns den Pfad zum Apfeltal. Und da stehen Grim und Fjalar bereit und warten auf uns. Wir brauchen uns nur in den Sattel zu schwingen und loszutraben.«

»Und du bist dann nicht mehr gelähmt?«, fragte ich.

»Nein, dann bin ich frei von allem Übel und so froh wie

noch nie. Und du auch, Krümel, auch du bist dann froh. Der Weg zum Apfeltal führt durch den Wald und wie wird uns, dir und mir, zumute sein, wenn wir dort in der Morgensonne reiten, was meinst du?«

»Herrlich«, rief ich und lachte wieder.

»Und wir müssen uns nicht beeilen«, sagte Jonathan. »Wenn wir Lust haben, können wir unterwegs in einem kleinen See baden. Wir kommen trotzdem im Apfeltal an, bevor Matthias die Suppe fertig hat.«

»Wie er sich freuen wird, wenn wir kommen«, sagte ich. Doch dann traf es mich wie ein Keulenschlag. Grim und Fjalar, wie sollten wir sie mit nach Nangilima bekommen, wie stellte Jonathan sich das vor?

»Wie kannst du nur sagen, dass sie dort schon auf uns warten? Sie liegen ja da drüben und schlafen.«

»Sie schlafen nicht, Krümel! Sie sind tot. Durch Katlas Feuer. Was du da drüben siehst, ist nur ihre äußere Hülle. Glaub mir, Grim und Fjalar stehen schon am Weg zum Apfeltal und warten auf uns.«

»Dann wollen wir uns beeilen«, sagte ich, »damit sie nicht so lange warten müssen.«

Jonathan sah mich an und lächelte.

»Ich kann mich kein bisschen beeilen«, sagte er. »Ich komme ja nicht vom Fleck. Hast du das vergessen?«

Und da begriff ich, was ich zu tun hatte.

»Jonathan, ich nehme dich auf den Rücken«, sagte ich. »Du hast es einmal für mich getan. Und jetzt tue ich es für dich. Das ist nur gerecht.«

»Ja, es ist nicht mehr als gerecht«, sagte Jonathan. »Aber traust du es dir wirklich zu, Krümel Löwenherz?«

Ich ging an den Rand des Abgrunds und sah hinunter. Doch es war schon zu dunkel, die Wiese war kaum noch zu sehen. Nur eine Tiefe, die einen schwindelig werden ließ. Sprangen wir da hinab, dann stand jedenfalls fest, dass wir beide nach Nangilima kamen. Keiner musste allein zurückbleiben und traurig sein und weinen und sich fürchten.

Doch nicht *wir* sollten springen, *ich* sollte es tun. Es ist nicht leicht, nach Nangilima zu kommen, hatte Jonathan gesagt und erst jetzt verstand ich, weshalb. Würde ich es wagen, würde ich es jemals wagen?

Ja, wenn du es jetzt nicht wagst, dachte ich, dann bist du ein Häuflein Dreck und wirst immer ein Häuflein Dreck bleiben.

Ich ging zurück zu Jonathan.

»Ja, ich trau es mir zu«, sagte ich.

»Mutiger kleiner Krümel«, sagte er. »Dann tun wir es jetzt gleich.«

»Erst möchte ich noch eine Weile bei dir sitzen«, bat ich.

»Aber nicht zu lange«, sagte Jonathan.

»Nein, nur bis es stockfinster ist«, sagte ich. »Damit ich nichts sehe.«

Und ich setzte mich neben ihn und hielt seine Hand und spürte, wie stark und gut er war und dass nichts wirklich gefährlich sein konnte, solange er da war.

Dann fiel die Nacht mit ihrer Dunkelheit über Nangijala, über Berge und Fluss und Land. Und ich stand mit Jonathan am Abgrund. Ich trug ihn, er hatte die Arme fest um meinen Hals geschlungen und ich spürte seinen Atem an meinem Ohr. Ganz ruhig atmete er. Nicht wie ich . . . Jonathan, mein Bruder, warum bin ich nicht ebenso mutig wie du?

Ich sah die Tiefe unter mir nicht, doch ich wusste, dass sie da war. Und ich brauchte nur einen Schritt ins Dunkle zu tun, dann war alles vorüber. Es würde ganz schnell gehen.

»Krümel Löwenherz«, sagte Jonathan, »hast du Angst?«

»Nein ... doch, ich habe Angst! Aber ich tue es trotzdem, Jonathan, ich tue es jetzt ... jetzt ... Und dann werde ich nie wieder Angst haben. Nie wieder Angst ha...«

»Oh, Nangilima! Ja, Jonathan, ich sehe das Licht! *Ich sehe das Licht!*«